100 SPOSOBÓW NA
MŁODOŚĆ

SARAH MERSON

MUZA SA

Tytuł oryginału: **The Top 100 Foods For A Younger You**
Przekład: *Przemysław Zasieczny*
Redaktor prowadzący: *Bożena Zasieczna*
Redakcja techniczna: *Andrzej Sobkowski*
Korekta: *Zespół*

Pierwsze wydanie w Wielkiej Brytanii i Irlandii w 2007
przez Duncan Baird Publichers Ltd.

ISBN 978-83-7495-914-8

MUZA SA
ul. Marszałkowska 8
00-590 Warszawa
tel. 22 6297624, 22 6296524
e-mail: info@muza.com.pl

Dział zamówień: 22 6286360, 22 6293201
Księgarnia internetowa: www.muza.com.pl

Warszawa 2011
Wydanie I

Skład i łamanie: MAGRAF S.C., Bydgoszcz
Druk i oprawa: Imago, Malezja

spis treści

KORZYŚCI Z PRODUKTU

Sprawność mózgu

Włosy, zęby i paznokcie

Skóra

Oczy

Serce i krążenie

System mięśniowo--szkieletowy

System odpornościowy

Poziom energii

wprowadzenie

Średni czas życia wciąż się wydłuża. Rosną także nasze oczekiwania odnośnie zdrowia i radzenia sobie z upływem lat. Jesteśmy mniej skłonni zaakceptować fakt starzenia się – pragniemy jak najdłużej zachować zdrowie i młodość. I nie chodzi tu tylko o wspaniałe samopoczucie, ale także o atrakcyjny wygląd.

Przez stulecia godzono się z faktem, że z wiekiem wygląd ludzkiego ciała się pogarsza. Współcześnie nauka udowadnia, że jedzenie może zmienić sposób starzenia się i to zarówno wewnętrznej, jak i zewnętrznej strony ludzkiego organizmu. Już dawno temu ustalono, że zdrowa dieta jest kluczem do długiego życia, a teraz uświadamiamy sobie, że sprawia, iż czujemy się młodo. Zdrowe jedzenie jest jedną z przyjemności życia i jeśli teraz zainwestujemy w zdrową dietę, ochronimy się przed problemami zdrowotnymi w przyszłości: pogarszającym się wzrokiem, artretyzmem, chorobami serca, zniszczoną skórą.

Aby czerpać z diety jak najwięcej, najlepiej wybierać produkty w sposób spójny – świeże, naturalne i pochodzące z czystej produkcji (nie modyfikowane). Łącząc owoce, warzywa, orzechy, nasiona, ziarna, mięso, ryby, nabiał, zioła i przyprawy z czystą wodą, otrzymujemy dietę pełną składników odżywczych. Zapewnia ona organizmowi niezbędne elementy do zdrowego i efektywnego funkcjonowania, a to z kolei pomaga nam cieszyć się pełnią sił i wyglądać młodo.

Pewne produkty, szczególnie owoce i warzywa, są ważnym źródłem przeciwutleniaczy, które likwidują wolne rodniki. Widoczne oznaki starzenia się, takie jak zmarszczki, a także te niewidoczne, jak pogarszanie się kondycji serca i oczu, są powodowane właśnie przez wolne rodniki – niezwykle reaktywne molekuły, które niszczą ścianki komórek i zawarty w nich materiał genetyczny.

Wolne rodniki trudno wyeliminować, gdyż w sposób

JEDZ, ABY SIĘ NIE STARZEĆ

JEDZ I PIJ WIĘCEJ...

- **Produkty bogate w witaminę C,** zwalczające wolne rodniki i zapewniające promienny wygląd cerze
- **Produkty bogate w selen,** które opóźniają pojawianie się zmarszczek i zapewniają ochronę przed słońcem oraz sprawiają, że włosy są pełne blasku
- **Produkty z żelazem,** które sprawią, że włosy zachowają blask a cera nie będzie blada
- **Produkty bogate w witaminę B,** by zwiększyć sprawność mózgu i chronić system nerwowy
- **Produkty o dużej zawartości wapnia,** pomagające zachować zdrowe kości

- **Produkty bogate w witaminy B, C i E,** by wzmocnić system odpornościowy
- **Produkty z cynkiem,** by powstrzymać wypadanie włosów i wspomóc ich wzrost
- **Produkty bogate w wapń, magnez, bor lub krzem,** by ochronić delikatne i łamliwe paznokcie
- **Produkty o dużej zawartości witaminy A,** by wzmocnić odporność i zachować promienną skórę, a także zdrowe oczy pełne blasku
- **Produkty z krzemem** dla zdrowej skóry, kości i tkanki łącznej
- **Produkty bogate w witaminę E,** ze względu na jej zdolność do leczenia i nawilżania skóry,

chroniące przez utratą pamięci i chorobami serca
- **Produkty bogate w potas** dla obniżenia ciśnienia tętniczego i utrzymania regularnej pracy serca
- **Produkty bogate w siarkę** (składnik keratyny i kolagenu) dla zachowania zdrowej skóry, paznokci i włosów
- **Produkty o niskim indeksie glikemicznym** równomiernie uwalniające energię
- **Produkty zawierające niezbędne kwasy tłuszczowe** omega-3 i omega-6 dla sprawności umysłu, czystej i zdrowo wyglądającej skóry oraz ochrony przez chorobami serca

naturalny są codziennie produkowane – takie czynniki, jak palenie, zanieczyszczenia i wystawianie się na działanie promieni słonecznych przez zbyt długi czas mogą przyspieszyć ich wytwarzanie. Jednak spożywanie dużej ilości bogatych w przeciwutleniacze owoców i warzyw, może zapewnić skuteczną ochronę przed zniszczeniami, które wolne rodniki powodują. Na przykład, badania pokazują, że jedzenie owoców cytrusowych, które są bogate w dobrze znany przeciwutleniacz, czyli witaminę C, przyczynia się do wzmacniania systemu odpornościowego, zapewnia ochronę skórze i redukuje ryzyko chorób oczu. Spożywanie zielonych, liściastych warzyw, batatów, moreli i dyni, które są bogate w beta-karoten, może pomóc w zachowaniu dobrego wzroku, a także chronić przez chorobami serca.

Produkty bogate w podstawowe kwasy tłuszczowe, szczególnie ryby, orzechy i nasiona, pełnią ważną rolę w utrzymaniu dobrego zdrowia i fantastycznego wyglądu. Kwasy pełnią nie tylko kluczową rolę w utrzymaniu aktywnej pracy mózgu, bystrego umysłu i zdrowego systemu nerwowego, ale również mają fundamentalne znaczenie dla zachowania elastyczności skóry i utrzymania błyszczących, zdrowych włosów.

Wiele produktów i ziół służących utrzymywaniu skóry i włosów w dobrej kondycji, można nie tylko jeść, ale także używać w inny sposób. Na przykład, kąpiel w mleku odżywia skórę i sprawia, że jest miękka oraz elastyczna; okłady z zielonej herbaty pomagają zredukować „worki" pod oczami, podczas gdy banany mogą służyć jako doskonała odżywka do włosów. To prawda, że starzenie się jest nieuniknione, ale starzenie się w piękny sposób jest sztuką, której każdy może się nauczyć.

Wyposażeni w informacje zawarte w tej książce, możemy używać produktów i ziół, by wydobyć nowe pokłady energii i zwiększyć sprawność fizyczną oraz psychiczną. Efekty można osiągnąć w niedługim czasie, szybko je zauważyć, a także poczuć. Cieszyć się większą sprawnością, czuć się lepiej i wyglądać młodziej.

Tak więc nie zwlekaj – nadszedł czas, by zainwestować w zdrowie oraz wygląd na przyszłość.

ODMŁADZANIU SZKODZĄ...

- Śmieciowe jedzenie
- Cukier
- Duża ilość soli
- Duża ilość alkoholu
- Palenie
- Stres
- Brak ćwiczeń fizycznych
- Brak snu

winogrona

SKŁADNIKI ODŻYWCZE
Witaminy z grupy B, witamina C;
żelazo, potas, selen, cynk;
antocyjanina, flawonoidy,
kwercetyna; błonnik

Są doskonałym źródłem energii i zapewniają ciągłą ochronę organizmowi.

Winogrona zawierają bogactwo składników o unikatowej wartości odżywczej, dzięki czemu cieszą się opinią owoców dla osób, które chcą wrócić do zdrowia. Te aromatyczne owoce mogą chronić i pomóc w leczeniu chorób, na które zapadamy wraz z wiekiem – od anemii i ogólnego zmęczenia organizmu po artretyzm, żylaki i reumatyzm.

POMOC DLA SERCA

Winogrona są bogate w silne przeciwutleniacze – m.in. cierpkie w smaku taniny, flawonoidy i antocyjaniny – dzięki czemu powstrzymują „zły" cholesterol przed utlenianiem się, a krew przez zakrzepami, w efekcie chronią serce i układ krążenia. Co więcej, zawierają dużo wody i błonnika, a więc mają silne działanie oczyszczające, pozytywnie wpływają na wątrobę. Ciemne winogrona zawierają kwercetynę, która przeciwdziała stanom zapalnym, wspomagając system krwionośny, a także ułatwiając prawidłowy proces trawienia.

Od dawna winogrona suszono, otrzymując rodzynki. Koncentrują one wiele składników odżywczych, m.in. dużo błonnika, są również źródłem ogromnej ilości energii. Są bogate

SOK Z WINOGRON

2,5 kg dojrzałych ciemnych winogron

Umyj winogrona i włóż je do dużego garnka lub pojemnika. Rozgnieć, aby zaczęły puszczać sok. Zalej wodą i zagotuj, następnie zmniejsz ogień i gotuj przez 10 minut. Ponownie rozgnieć, miażdżąc jak najwięcej owoców. Następnie połóż na innym garnku sitko i przecedź przez nie sok. Odstaw na noc i wypij.

w minerały: żelazo, potas, selen i cynk. W szczególności selen pełni ważną rolę w spowalnianiu procesu starzenia się, zapewniając ochronę przed chorobami serca i wzmacniając system immunologiczny. Poza tym, selen zapobiega pojawianiu się zmarszczek, zapewniając gładkość skórze.

MASECZKA Z WINOGRON

garść winogron
1 łyżka stołowa gęstej
**   śmietany (np. 22%)**
$^1/_2$ łyżeczki soku z cytryny

Rozgnieć winogrona widelcem i przetrzyj je prze sitko (otrzymasz 1 łyżkę stołową soku). Ubij śmietanę z sokiem winogronowym na puszystą masę. Stopniowo dodawaj sok z cytryny, delikatnie i dokładnie mieszając. Nałóż krem na twarz i szyję. Zostaw na 10 min, po czym spłucz ciepłą wodą.

mango

SKŁADNIKI ODŻYWCZE
Witamina C, beta-karoten; błonnik

Mango – bogate w witaminę C i beta-karoten, chroni przed zbyt wczesnym starzeniem się.

Średniej wielkości owoc mango zawiera prawie całą rekomendowaną dawkę przeciwutleniacza w postaci witaminy C, która wpływa na produkcję kolagenu – białka potrzebnego skórze i tkance łącznej. Mango należy do niedużej grupy owoców zawierających witaminę E, która wraz z witaminą C chroni mózg i powstrzymuje utratę pamięci. Jaskrawopomarańczowy kolor miąższu świadczy o tym, że mango zawiera dużo beta-karotenu, niezbędnego skórze, płucom i sercu do utrzymania dobrej kondycji i zachowania ogólnej wysokiej odporności.

LASSI Z MANGO

500 g jogurtu naturalnego
1¹/₂ mango, obranego
i pokrojonego w plastry
50 g miałkiego cukru
8 kostek lodu
4 orzechy pistacjowe, bez łupin
4 migdały
szczypta nitek szafranu

Jogurt zmiksuj z mango, cukrem i kostkami cukru na pienistą masę. Pistacje i migdały pokrój w cienkie słupki. Lassi wlej do szklanek i udekoruj orzechami oraz nitkami szafranu.

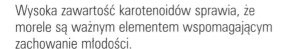

morela

Wysoka zawartość karotenoidów sprawia, że morele są ważnym elementem wspomagającym zachowanie młodości.

Beta-karoten, przeciwutleniacz, którego morele zawierają najwięcej, pomaga chronić skórę i płuca przed niszczącym je utlenianiem i wspomaga system immunologiczny. Poza tym zapobiega niszczącemu oddziaływaniu wolnych rodników na oczy. Morele zawierają także likopen – jeden z najsilniejszych przeciwutleniaczy, odpowiadający za zapobieganie odkładaniu się w arteriach pokładów tłuszczu i mający silne działanie przeciwnowotworowe.

SKŁADNIKI ODŻYWCZE
Witaminy z grupy B, witamina C, beta-karoten; likopen, żelazo; błonnik

---

MORELE Z BRANDY

2 kg świeżych moreli
torebka goździków
4 laski cynamonu
1,3 kg brązowego cukru
600 ml octu winnego
60 ml brandy

Morele umyj i wbij w każdą 2–3 goździki. Cukier wymieszaj z octem i dodaj laski cynamonu. Doprowadź do wrzenia, zmniejsz ogień i gotuj do uzyskania syropu. Dodaj morele i gotuj, aż będą miękkie. Zestaw z ognia i przełóż całość do 4 słoików. Do każdego z nich wlej łyżkę stołową brandy, włóż laskę cynamonu i szczelnie zakręć. Morele będę gotowe po 14 dniach.

jagody

SKŁADNIKI ODŻYWCZE
Witamina C, beta-karoten;
antocyjanina, kwas elagowy;
błonnik

Jagody
są potocznie
nazywane owocami
umysłu, gdyż
opóźniają proces
starzenia się komórek
mózgowych.

Jagody zawierają ogromną ilość przeciwutleniaczy, które chronią przed wieloma dolegliwościami.

Jagody są bogatym źródłem antocyjaniny — silnego przeciwutleniacza, który zapobiega procesowi starzenia się, wspomaga krążenie. Antocyjanina wzmaga także działanie witaminy C, a więc produkcję kolagenu, a to pozytywnie wpływa na skórę. Jagody wspomagają pracę mózgu, a także chronią przed chorobami oczu. Są dobrym źródłem pektyny, która zmniejsza poziom cholesterolu. Kwas zwarty w jagodach sprawia, że działają jak delikatny środek ściągający i oczyszczający.

SOS Z JAGÓD

**250 g świeżych jagód
80 g cukru
1 łyżka stołowa soku
  z cytryny
szczypta soli
$^1/_2$ łyżeczki esencji
  waniliowej**

Jagody umyj i rozgnieć w misce. Dodaj cukier, sok z cytryny i sól. Dokładnie wymieszaj. Całość przełóż do rondla i doprowadź do wrzenia, po czym gotuj przez 1 minutę. Dodaj esencję waniliową. Podawaj do budyniów, ciast i lodów. Przechowuj w lodówce do 5 dni.

papaja

Owoc o dużej zawartości beta-karotenu i witaminy C, a także papainy – silnego enzymu spowalniającego proces starzenia się.

SKŁADNIKI ODŻYWCZE
Witamina C, beta-karoten; kwas foliowy; potas; papaina; błonnik

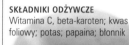

Dzięki dużej zawartości beta-karotenu i witaminy C, papaja przeciwdziała procesowi pogarszania się stanu tętnic i żył, zmniejsza ryzyko chorób serca, a także zwalcza wolne rodniki. Papaina, która ułatwia trawienie, wspomaga wydalanie z organizmu zbędnych substancji i toksyn, zapobiega stanom zapalnym. Nakładana na skórę, odpowiada za „trawienie" obumarłych ścian komórkowych i jest doskonałym, łagodnym środkiem złuszczającym.

BALSAM ZŁUSZCZAJĄCY Z PAPAI *(dla rozświetlenia i odmłodzenia skóry)*

1 duży, świeży owoc papai
ściereczka muślinowa
1 filiżanka naparu z rumianku, ostudzonego

Obierz papaję, usuń pestki i robotem kuchennym lub blenderem zmiksuj miąższ. Następnie przetrzyj przez ściereczkę, wyciskając sok. Wymieszaj go dokładnie w równych proporcjach z naparem z rumianku. Za pomocą wacików nałóż balsam na twarz i szyję, unikając kontaktu z oczami. Zostaw na ok. 10 min, po czym spłucz. Balsam możesz przechowywać w lodówce do 2 dni.

NAPÓJ Z WITAMINĄ C

**700 ml świeżo wyciśniętego
soku z pomarańczy
450 g świeżego mango
w kawałkach
450 g świeżych truskawek
450 g świeżego kiwi,
posiekanego
500 ml jogurtu waniliowego
rozkruszony lód (opcjonalnie)**

Włóż wszystkie składniki do
pojemnika blendera i zmiksuj
na gładką masę. Dodaj lód
według uznania i przelej całość
do szklanek.

pomarańcze

Oprócz witaminy C, pomarańcze zawierają także hesperydynę – podstawowy przeciwutleniacz niezbędny dla zdrowia serca.

Pomarańcze bogate w witaminę C pozwalają cieszyć się zdrowo i młodo wyglądającą skórą, zapobiegają chorobom oczu i powstrzymują wolne rodniki przed osiadaniem w arteriach, co jest jedną z głównych przyczyn chorób serca. Uważa się, że dzięki zawartości hesperydyny o właściwościach przeciwutleniających, chronią serce, gdyż stymulują wzrost poziomu „zdrowego" i obniżają poziom „złego" cholesterolu. Owoc pomarańczy zawiera także limonen, działający antynowotworowo. Pomarańcze są źródłem naturalnych cukrów, zwiększają pokłady energii, mają dużo błonnika i wierzy się, że redukują cellulit.

żurawiny

Żurawiny zawierają wiele składników, które chronią przed chorobami pojawiającymi się wraz z wiekiem.

Dzięki zawartości kwasu elagowego żurawina działa przeciwutleniająco, powstrzymuje procesy nowotworowe i chroni przed chorobami serca. Ten antyoksydant jest najlepiej absorbowany przez organizm z produktów nieprzetworzonych — a to dobra wiadomość dla osób, które lubią żurawinę w naturalnej postaci. Bogata w witaminę C, żurawina doskonale wpływa na skórę i oczy oraz wzmacnia odporność. Ma również dwa składniki, bioflawonoidy, które zapobiegają pojawieniu się chorób serca — kwercetynę i mircetynę.

SKŁADNIKI ODŻYWCZE
Witamina C; żelazo; kwas elagowy; tanina

ŻURAWINY W CZEKOLADZIE

**350 g mlecznej czekolady
2 łyżki stołowe masła
350 g świeżej żurawiny**

Czekoladę i masło rozpuść w rondlu na niedużym ogniu, często mieszając. Nabijaj kuleczki żurawiny na wykałaczkę i zanurzaj w czekoladzie, by się nią dokładnie pokryły. Ułóż na woskowanym papierze i wstaw do lodówki, by czekolada się zestaliła.

cytryna

SKŁADNIKI ODŻYWCZE
Witamina C, kwas foliowy; potas;
limonen; błonnik

Cytryny, spożywane, jak i stosowane zewnętrznie,
mają właściwości odmładzające.

Wysoki poziom witaminy C w cytrynach oznacza, że są niezbędne dla zdrowia skóry i błon. Są dobrym źródłem bioflawonoidów, takich jak kwercetyna, które wspomagają działanie
witaminy C. Są szczególnie ważne, gdyż przeciwdziałają
powstawaniu żylaków. Cytryny, podobnie jak inne cytrusy,
zawierają terpeny o działaniu przeciwnowotworowym. Wykorzystywany w zabiegach upiększających sok z cytryny wspomaga wzrost bakterii i ma właściwości ściągające, wzmacniające
oraz tonizujące.

TONIK CYTRYNOWY
(do leczenia popękanych żył)

**4 łyżeczki gliceryny roślinnej
sok z 1 cytryny
1 kropla olejku neroli
1 kropla olejku różanego**

Wymieszaj glicerynę z sokiem
cytrynowym oraz olejkami.
Nakładaj dwa razy dziennie na
popękane naczynia krwionośne.
Przechowuj w szczelnie zamkniętym słoiku do 3 miesięcy.

banan

Jeden z najbardziej pożywnych owoców, zawierający wiele substancji spowalniających proces starzenia się.

Banany są bogate w potas, który pomaga w utrzymaniu właściwego poziomu ciśnienia krwi, co zmniejsza ryzyko chorób serca. Potas wraz z sodą utrzymuje odpowiednią zawartość płynów i elektrolitów w komórkach, dzięki czemu pozwala na poprawne funkcjonowanie układu nerwowego i pracę mięśni. Banany zawierają fruktooligosacharydy, które pomagają w odżywianiu „dobrych" bakterii i wspomagają proces trawienia. Poza tym są źródłem tryptofanu, który jest przez organizm przemieniany w serotoninę, odpowiedzialną za sen.

SKŁADNIKI ODŻYWCZE
Witaminy B_3, B_5, B_6; magnez, potas; błonnik

Aby przyspieszyć dojrzewanie bananów, włóż je do brązowej torby papierowej i zostaw w temperaturze pokojowej.

ODŻYWKA Z BANANÓW
(do nawilżania suchych włosów)

1 dojrzały banan
2 łyżeczki oleju z pestek winogron

Banan rozgnieć widelcem i wymieszaj z olejem, aż otrzymasz pastę. Wetrzyj ją we włosy, zbierając nadmiar, przykryj włosy przezroczystą folią i odczekaj 30 minut. Zmyj pastę, używając łagodnego szamponu.

śliwki suszone

Suszone śliwki zawierają wiele przeciwutleniaczy i skutecznie spowalniają proces starzenia się.

Znane są od dawna z tego, że są bogatym źródłem błonnika, ale przede wszystkim zawierają najwięcej przeciwutleniaczy. Duża zawartość potasu utrzymuje ciśnienie krwi na właściwym poziomie, podczas gdy witamina B_6 chroni serce i wspomaga pracę mózgu. Suszone śliwki to także źródło żelaza, energii zwalczającej zmęczenie. Połączenie żelaza i witaminy A jest szczególnie korzystne dla wzrostu włosów, a sama witamina A pomaga w zachowaniu młodej skóry i zdrowych oczu.

KREM ZE ŚLIWKAMI

12 dużych suszonych śliwek
3 białka
3 łyżki stołowe drobno
  mielonego cukru

Rozgrzej piekarnik do 150°C. Przez noc mocz śliwki w wodzie, aż będą miękkie. Usuń pestki i rozgnieć miąższ na gładką pulpę. Białka ubij na sztywną pianę, wmieszaj cukier, a następnie pulpę. Przełóż do natłuszczonego naczynia i piecz przez ok. 20 minut. Podawaj ze śmietaną.

kiwi

Owoc kiwi zawiera niemal dwukrotnie więcej witaminy C niż pomarańcza i więcej błonnika niż jabłko.

Wysoki poziom witaminy C w owocach kiwi wzmacnia odporność i jest szczególnie korzystny dla młodej skóry. Kiwi są bogatym źródłem luteiny i karotenu, który wraz z witaminami C i E oczyszcza żyły i zapobiega osadzaniu się tłuszczów. Kiwi są bogate w potas, zapobiegają chorobom związanym z wiekiem, tj. nadciśnieniu, bezsenności i wyczerpaniu. Błonnik ułatwia trawienie i zmniejsza poziom cholesterolu.

SKŁADNIKI ODŻYWCZE
Witaminy B_3, C, E, luteina; potas; błonnik

LÓD Z KIWI

**4 owoce kiwi, obrane
i posiekane**
**500 ml soku jabłkowego
bez cukru**
1 łyżka stołowa soku z cytryny
**$1/2$ łyżeczki otartej skórki
z cytryny**

W pojemniku blendera połącz kiwi, sok jabłkowy i cytrynowy. Miksuj na gładką masę. Wmieszaj skórkę pomarańczową. Całość przelej na tacę dł. 20 cm i wstaw do zamrażalnika. Po zestaleniu przełóż łyżką do miski i ubijaj na puszystą masę. Ponownie przełóż na tacę i zamroź. Przed podaniem wystaw na 10 min, by lód odtajał.

012

czarna porzeczka

SKŁADNIKI ODŻYWCZE
Witamina C; potas, magnez;
bioflawonoidy; błonnik

Czarna porzeczka zawiera bogactwo składników
odmładzających, przede wszystkim witaminę C.

Czarne porzeczki są szczególnie cennym źródłem witaminy C,
zawierając jej ponadczterokrotnie więcej, niż ta sama porcja
pomarańczy. Są znane ze zwalczania wolnych rodników, wspomagają system ochronny organizmu, regenerują błony i komórki, a także wspomagają ich wzrost. Te małe owoce zawierają
także bioflawonoidy, które poprawiają kondycję żył i skóry. Poza
tym zawierają dużo potasu, który powstrzymuje zatrzymywanie
wody w organizmie i obniża ciśnienie krwi.

TONIK Z CZARNEJ PORZECZKI *(zwalcza zmarszczki)*

60 g czarnej porzeczki
ściereczka muślinowa
10 winogron
1 łyżka stołowa świeżego soku
  z cytryny

Zmiksuj porzeczki i przecedź
przez ściereczkę. Zachowaj
75 ml soku. To samo zrób
z winogronami, zachowując taką

samą ilość soku. Soki wymieszaj,
dodaj sok z cytryny i przelej do
butelki. Wacikami nałóż tonik
na twarz i szyję. Pozwól, by się
wchłonął. Szczelnie zamkniętą
butelkę przechowuj w lodówce
do 48 godzin.

jeżyna

Pulchne, słodkie i soczyste owoce są jednym z najbogatszych źródeł witaminy E o niskiej zawartości tłuszczu.

Podobnie jak wiele innych owoców jagodowych, jeżyny są doskonałym źródłem witaminy C. Wyróżnia je duża zawartość witaminy E. Pomaga ona neutralizować wolne rodniki, przyczyniające się do przedwczesnego starzenia się skóry. Jeżyny są naturalnym źródłem salicylanów – aktywnej substancji zawartej w aspirynie, z pomocą której organizm zwalcza infekcje. Niektóre badania wskazują na antyrakowe właściwości salicylanów.

SKŁADNIKI ODŻYWCZE
Witaminy C, E, kwas foliowy; mangan; salicylany; flawonoidy

Do śniadaniowych płatków owsianych dodaj jeżyny, co ułatwi organizmowi absorbować z płatków żelazo.

DESER Z JEŻYN, JABŁEK I JOGURTU

4 jabłka do gotowania
2 łyżki stołowe drobno mielonego cukru
300 g jeżyn
625 ml jogurtu naturalnego

Obierz jabłka i pokrój w plasterki. Włóż je do rondla razem z cukrem. Gotuj, aż zmiękną. Wmieszaj jeżyny i gotuj przez następne 1–2 minuty. Pozwól, by całość ostygła, po czym wmieszaj jogurt i wstaw do lodówki.

melon

Te soczyste letnie owoce są pełne antyoksydantów zwalczających wolne rodniki, które odpowiadają za proces starzenia się.

SKŁADNIKI ODŻYWCZE
Witaminy B₃, C; beta-karoten; potas

BALSAM Z MELONA
(dla schłodzenia i nawilżenia skóry)

¹/₄ **świeżego melona, obranego i bez nasion**
¹/₂ **cytryny**
1 **łyżka stołowa oliwy z oliwek**
ściereczka muślinowa

Zmiksuj kawałki melona na rzadką papkę. Włóż ją na sitko wyłożone ściereczką muślinową i poczekaj aż ścieknie sok. Dodaj do niego sok wyciśnięty z cytryny, zamieszaj i odstaw do lodówki. Nawilżaj mieszanką twarz i ramiona.

Melony zawierają bardzo dużo witaminy C i beta-karoten, które są naturalnymi składnikami spowalniającymi proces starzenia się, wspomagającymi wzrost komórek oraz ich naprawę, a także system odpornościowy i układ krążenia. Zawierają również potas, który pomaga w obniżeniu ciśnienia krwi i poziomu „złego" cholesterolu. Dzięki dużej zawartości wody, melony pomagają w oczyszczeniu organizmu z toksyn.

jabłko

Zawierając błonnik, flawonoidy i witaminę C, jabłka są zdrowym dodatkiem do diety odmładzającej.

Jabłka zawierają pektyny, które pomagają w usuwaniu z organizmu produktów ubocznych trawienia. Poza tym wspomagają wzrost korzystnych kultur bakterii w jelitach i razem z kwercetyną sprzyjają utrzymaniu niskiego poziomu cholesterolu. Jabłka zawierają kwas jabłkowy, który zwalcza reumatyzm i artretyzm, a także wspomaga procesy produkcji energii. Dzięki witaminie C jabłka wspomagają odporność, a duża zawartość wody sprawia, że przyczyniają się do nawodnienia organizmu.

SKŁADNIKI ODŻYWCZE
Witamina C; kwas jabłkowy, flawonoidy; błonnik

Unikaj soku z jabłek o dużej zawartości cukru, który często jest oferowany w sprzedaży.

SOK Z JABŁEK, GRUSZEK I MIĘTY *(wspomaga trawienie)*

8 jabłek
8 gruszek
12 gałązek świeżej mięty

Umyj owoce i pokrój w kawałki. Nie obieraj ze skóry, ale usuń gniazda nasienne. Wyciśnij sok korzystając z sokowirówki i dodaj miętę. Wlej do szklanek i od razu wypij.

ananas

SKŁADNIKI ODŻYWCZE
Witaminy B₁, B₂, C; mangan,
bromelaina; błonnik

Ananasy są szczególnie bogate w bromelainę, która wspomaga zwalczanie stanów zapalnych.

Ananas jest szczególnym źródłem bromelainy, która zapobiega stanom zapalnym w organizmie. Dzięki bromelainie, która jest skutecznym środkiem przeciwzapalnym, ananasy przynoszą najwięcej korzyści stawom. Duża zawartość witaminy C wspomaga system immunologiczny i zwalcza wolne rodniki, które przyspieszają proces starzenia się. Owoc jest także doskonałym źródłem manganu – podstawowego składnika enzymów o działaniu przeciwutleniającym i wspomagających proces produkcji energii.

SALSA Z ANANASA I MANGO

1 duże dojrzałe mango
¹/₂ małego ananasa
¹/₄ czerwonej cebuli
kawałek świeżego korzenia imbiru (1 cm), obranego i startego
1 mały ząbek czosnku, obrany i rozgnieciony
¹/₂ małego strąku chilli, pokrojonego w cienkie plasterki
garść kolendry, posiekanej
sok z 2 limetek
1 łyżeczka oleju sezamowego

Obierz owoce i posiekaj ich miąższ. Włóż do miski razem z cebulą, imbirem, czosnkiem, chilli i kolendrą. Dokładnie wymieszaj. Skrop sokiem z limetki i olejem sezamowym. Podawaj jako sos do ryby, kurczaka lub jako dip.

grejpfrut

Doskonały na śniadanie, bogaty w przeciwutleniacze, jest silnym środkiem odtruwającym.

Grejpfrut jest bogatym źródłem ważnej dla odmładzania witaminy C. Różowa odmiana grejpfruta w szczególności jest bogatym źródłem potasu i bioflawonoidów – ważnych składników niezbędnych dla serca i układu krążenia, a także dla skóry i ogólnej odporności organizmu. Pektyny pomagają eliminować z organizmu cholesterol. Grejpfrut zawiera dużo kwasu glikonowego (AHA), który ma właściwości tonizujące.

SKŁADNIKI ODŻYWCZE
Witamina C, beta-karoten, kwas foliowy; likopen; potas; flawonoidy; blonnik

---

MASECZKA UPIĘKSZAJĄCA Z GREJPFRUTA *(tonizująca skórę)*

**1 mały grejpfrut
1 małe opakowanie jogurtu naturalnego**

Obierz grejpfrut i podziel na cząstki. Usuń białe włókna i pestki. Miąższ zmiksuj z jogurtem w pojemniku blendera. Przełóż do miski i wstaw na 1 godzinę do lodówki. Nałóż na twarz i pozostaw na 10 minut. Delikatnie zmyj zimną wodą.

truskawki

Jeden z przysmaków lata – truskawki – pełne odmładzających substancji odżywczych.

SKŁADNIKI ODŻYWCZE
Witaminy B₆, C; kwas foliowy, kwas elagowy

Truskawki są znakomitym źródłem witaminy C, niezbędnej do produkcji kolagenu – białka, które pomaga utrzymać właściwą strukturę skóry. Witamina C pomaga przy gojeniu się ran i chroni przed zapaleniem dziąseł, na które cierpi $3/4$ dorosłych. Truskawki zawierają również kwas elagowy – polifenol o silnych właściwościach antynowotworowych.

> Zwiększając produkcję kolagenu, pomagają zachować elastyczność skóry.

PASTA Z TRUSKAWEK I SERA RICOTTA

150 g dojrzałych truskawek
2 limetki
2 łyżeczki cukru pudru
100 g sera ricotta

Truskawki rozgnieć widelcem i otrzyj do nich skórkę z limetek. Dodaj cukier puder i dokładnie wmieszaj ser ricotta, aby otrzymać gładką masę. Tak przygotowaną pastą posmaruj bajgle cynamonowe i ciesz się pysznym śniadaniem.

maliny

Maliny zawierają dużo witaminy C i ważnych antyoksydantów, które sprawiają, że pozostajemy młodzi.

Duża zawartość witaminy C w malinach sprawia, że wpływają one na wzmocnienie odporności i chronią przed szeregiem chorób, m.in. serca i oczu. Maliny zawierają także kwas elagowy, który ma właściwości przeciwnowotworowe i zapobiega zmianom w komórkach oraz antocyjaninę, działającą przeciwzapalnie, chroniącą przez artretyzmem. Maliny pomagają zwalczać wiele wirusów i bakterii. Poza tym, są jednym z najważniejszych źródeł błonnika, przez co ułatwiają trawienie.

SKŁADNIKI ODŻYWCZE
Witaminy B_3, C, kwas foliowy; żelazo, mangan; flawonoidy, antocyjanina; błonnik

---

SYLLABUB Z MALIN

225 g malin
150 ml wytrawnego sherry lub białego wytrawnego wina
2 łyżki stołowe brandy
otarta skórka z 1 pomarańczy
otarta skórka z $1/2$ cytryny
75 g cukru
450 ml gęstej śmietany (22%)

Rozgnieć maliny (zachowując 2 garście do podania) i wymieszaj w misce z pozostałymi składnikami, poza śmietaną. Marynuj przez 4 godz., po czym przetrzyj przez sitko. Dodaj śmietanę i ubijaj do otrzymania sztywnego kremu. Nałóż do pucharków odłożone maliny, na wierzch nałóż krem i schłodź w lodówce. Podawaj z precelkami lub rurkami waflowymi z czekoladą.

SKŁADNIKI ODŻYWCZE
Witamina B_6, beta-karoten; potas, żelazo; błonnik

figa

Figi są świetnym źródłem błonnika. Wprowadzają do diety także rzadko występującą witaminę B_6.

Wysoka zawartość błonnika sprawia, że figi pomagają eliminować z organizmu toksyny i zmniejszają ryzyko wystąpienia chorób serca. Są dobrym źródłem potasu, który jest niezbędny do kontroli właściwego poziomu ciśnienia krwi, i jednocześnie mają pozytywny wpływ na stan serca. Figi są również źródłem zasobów użytecznej witaminy B_6, bez której grozi nam utrata pamięci i podwyższanie się poziomu stresu.

FIGI Z KREMEM POMARAŃ-CZOWO-ANYŻKOWYM

16 suszonych fig
115 g twarożku,
  w temperaturze pokojowej
1 łyżka stołowa świeżo wyciśniętego soku z pomarańczy
2 łyżeczki otartej skórki
  z pomarańczy
$1^1/_2$ łyżeczki miodu
$^1/_2$ łyżeczki nasion anyżu,
  rozkruszonych

Odetnij szypułki fig. Każdy owoc natnij na krzyż od miejsca przy szypułce w stronę spodu i rozchyl. W misce połącz twaróg, sok pomarańczowy i skórkę oraz miód i nasiona anyżu. Ubijaj do otrzymania kremowej konsystencji. Do każdej figi nałóż gałkę kremu. Przechowuj w lodówce do dwóch godzin.

granat

Granaty są jednym z najważniejszych źródeł przeciwutleniaczy wśród owoców.

Zawierają kwas elagowy, dzięki czemu mają silne właściwości antynowotworowe i zapobiegają chorobom serca. Przeciwutleniacze w granatach chronią przed niszczącym działaniem wolnych rodników, m.in. na skórę, a także dbają o dobrą przepływowość tętnic. Antyoksydanty mogą także chronić przed niszczącym wpływem promieni słonecznych.

SKŁADNIKI ODŻYWCZE
Witaminy B₁, B₃, C; wapń, fosfor; kwas elagowy

UDERZENIE GRANATU

5 lub 6 granatów
250 g cukru
500 ml wody
250 ml świeżego soku
  z pomarańczy
60 ml świeżego soku z cytryny
1 l bezalkoholowego piwa
  imbirowego

Łyżką wybierz nasiona granatów i przełóż je do sokowirówki. W dużym słoiku z wodą rozpuść cukier, bardzo szybko mieszając. Dodaj sok z granatów, pomarańczy i cytryny, a w ostatniej kolejności piwo. Schłodź w lodówce i i podawaj.

wiśnie

Wiśnie są bogate w przeciwutleniacze, które mają niezwykłe właściwości hamujące starzenie się.

SKŁADNIKI ODŻYWCZE
Witamina C; potas; kwercetyna, antocyjanina, kwas elagowy

Wiśnie są bogate we flawonoidy, takie jak antocyjanina, których organizm potrzebuje do poprawy odporności. Zawierają także kwercetynę — silną substancję przeciwzapalną, która łagodzi bóle stawów oraz chroni przed chorobami oczu. Są również bogate w fitochemiczny kwas elagowy, który działa antynowo-tworowo oraz witaminę C, wspomagającą produkcję kolagenu niezbędnego dla zdrowia skóry i włosów oraz pomagająca zwal-czać wirusy i bakterie.

DESER LODOWY Z WIŚNIAMI

6 łyżek stołowych karmelowego sosu do lodów
60 ml Grand Mariner
500 ml lodów waniliowych
225 g wiśni, wydrylowanych
garść pokruszonych herbatników

W małym naczyniu połącz sos do lodów i Grand Mariner, mieszając do uzyskania gładkiej konsystencji. Lody rozdziel do 4 pucharków. Na wierzch nałóż wiśnie, polej sosem, posyp pokruszonymi herbatnikami i podawaj.

rabarbar

„Warzywny owoc", jak jest nazywany, rabarbar jest wspaniałym źródłem błonnika, a także witaminy C i minerałów.

SKŁADNIKI ODŻYWCZE
Witamina C; wapń, magnez, potas; kwas szczawiowy; błonnik

Zasobny w błonnik rabarbar działa jak naturalny środek przeczyszczający, zapewniający właściwe funkcjonowanie układu trawienia, zmniejszający poziom cholesterolu i chroniący przed chorobami serca. To również dobre źródło wspomagającej system immunologiczny witaminy C, która chroni skórę przed starzeniem się. Zawiera dużo wapnia potrzebnego kościom, potasu, który odpowiada za ciśnienie krwi oraz dużą ilość wody.

MROŻONY JOGURT Z RABARBAREM

300 g ugotowanego rabarbaru
100 g naturalnego jogurtu
   o niskiej zawartości tłuszczu
3 łyżki stołowe granulowanego
   cukru
2 łyżki stołowe soku
   z pomarańczy

W robocie kuchennym, zmiksuj ugotowany rabarbar na gładkie

purée. Dodaj, miksując, jogurt, cukier i sok pomarańczowy. Przykryj i wstaw w płytkim, metalowym naczyniu do zamrażalnika na 3–4 godz., do prawie całkowitego zestalenia. Wymieszaj i ponownie zmiksuj na gładką masę. Mroź przez 1 godz. w pojemniku próżniowym, aż mieszanka stwardnieje.

awokado

Awokado, bogate w witaminy A, B, C i E, a także podstawowe kwasy tłuszczowe, niszczy wolne rodniki i działa odżywiająco na skórę.

Awokado pochodzi z Ameryki Środkowej i jest obecnie uprawiane w strefie tropikalnej na całym świecie.

SAŁATKA Z AWOKADO I MŁODEGO SZPINAKU

2 dojrzałe awokado, bez
pestek, obrane i pokrojone
w kostkę
16 pomidorów koktajlowych,
przekrojonych na pół
2 garście młodego szpinaku,
umytego i podartego
w kawałki

Dressing:
sok z 2 limetek
2 łyżeczki miodu
szczypta soli

Przygotuj dressing, wkładając składniki do słoika i mocno potrząsając. Do miski nałóż wszystkie składniki sałatki i polej dressingiem. Delikatnie wymieszaj i od razu podawaj.

SIŁA PRZECIWUTLENIACZY

Awokado pełne witamin C i E sprawia, że skóra jest miękka, elastyczna i zdrowa, a włosy błyszczące. Zawiera dużo kwasów omega-3, dzięki czemu chroni przed zmarszczkami, wspomaga pracę mózgu i łagodzi bóle artretyczne. Awokado ma również dużo kwasu szczawiowego, potrzebnego do budowy kwasów tłuszczowych omega-9, doskonałych dla skóry i mających właściwości przeciwzapalne. Awokado posiada także wysoki poziom przeciwutleniającej luteiny, która według badań wspomaga wzrok i układ sercowo-naczyniowy.

ZDROWE SERCE

Awokado o gładkiej, maślanej strukturze mają dużo jednonienasyconych tłuszczów, które podnoszą poziom „dobrego" cholesterolu i delikatnie zmniejszają ilość trójglicerydów tłuszczowych. Mają także beta-sitosterol — fitoskładnik obniżający poziom „złego" cholesterolu oraz dużo błonnika, są źródłem kwasu linolenowego, który przez organizm jest przekształcany w kwas gamma-linolenowy (GLA), rozrzedzający krew. Awokado to również bogate źródło potasu, niezbędnego do utrzymania właściwego poziomu ciśnienia krwi i przeciwdziałającego skurczom mięśni.

MASECZKA NA TWARZ Z AWOKADO *(odmłodzenie skóry)*

1 dojrzałe awokado
1 łyżeczka miodu
1 łyżeczka soku z cytryny
1 łyżeczka jogurtu naturalnego

Połącz wszystkie składniki w misce i rozcieraj do otrzymania pasty. Wstaw do lodówki na 30 minut. Nałóż na twarz i zostaw na 10 min, po czym zmyj zimną wodą.

burak

Burak ćwikłowy o jaskrawym kolorze jest wprost naładowany substancjami odżywczymi, które pozwalają nam wyglądać młodziej i czuć się lepiej.

SKŁADNIKI ODŻYWCZE
Żelazo, mangan, potas, dwutlenek krzemu, betacyjanina; błonnik

Warzywo to, zawierając silny przeciwutleniacz betacyjaninę, która nadaje mu ciemnoczerwony kolor, oczyszcza krew i ma właściwości antynowotworowe. Badania pokazują, że buraki wzmacniają naturalne enzymy obronne wytwarzane przez wątrobę, przyczyniając się do regeneracji komórek odpornościowych. Pomagają także obniżyć poziom cholesterolu. Co więcej, burak zawiera dwutlenek krzemu, który korzystnie wpływa na skórę, włosy, paznokcie, wiązadła, ścięgna i kości.

BURAKI Z IMBIREM

4 buraki (z łodygami), oskrobane i posiekane
2 łyżeczki nasion sezamu
1 łyżka stołowa jasnego sosu sojowego
1 łyżka stołowa oliwy z oliwek ekstra virgin
1 łyżka korzenia imbiru, drobno posiekanego
100 g startej marchwi

Gotuj buraki na parze przez 30–40 min, aż będą miękkie. Łodygi sparz przez 3–4 min, aż lekko zmiękną. W tym czasie na suchej patelni upraż ziarna sezamu, aż się zrumienią. Następnie w misce utrzep sos sojowy, oliwę oraz korzeń imbiru, dodaj pozostałe składniki i dokładnie wymieszaj. Podawaj na ciepło lub jako danie sałatkowe.

026

ogórek

To popularne warzywo, wypełnione wodą, jest dobrze znane z dobroczynnego wpływu na skórę.

Dzięki właściwościom nawilżającym i przeciwzapalnym, ogórek nakładany na skórę pomaga zachować jej młodzieńczy wygląd. Zjedzony, dzięki wysokiej zawartości wody i bogactwie minerałów, jest jednym z najlepszych diuretyków. Ogórki są bogatym źródłem dwutlenku krzemu – minerału potrzebnego zdrowej skórze, kościom i tkance łącznej. Dwutlenek krzemu odgrywa również ważną rolę w ochronie przed chorobami układu krążenia i osteoporozą.

SKŁADNIKI ODŻYWCZE
Witaminy A, C; magnez, mangan, potas, dwutlenek krzemu; błonnik

TONIK Z OGÓRKA
(dla odświeżenia i ożywienia skóry)

1/2 małego ogórka
5 liści mięty
60 ml mleka
2 krople wyciągu z pestek
  grejpfruta

Obierz i posiekaj ogórek. Liście mięty oberwij z łodygi. Obydwa składniki włóż do pojemnika robota kuchennego, wlej mleko i miksuj do otrzymania gładkiej masy. Przelej ją do rondla i zagotuj. Zmniejsz ogień i gotuj przez 2 min, po czym odstaw do ostygnięcia. Przelej do czystej butelki i dodaj wyciąg z pestek grejpfruta. Przechowuj w lodówce i wykorzystaj w ciągu tygodnia.

seler naciowy

SKŁADNIKI ODŻYWCZE
Kwas foliowy, beta-karoten; potas

Zawierając niewiele kalorii, seler naciowy pomaga utrzymywać wagę i młody wygląd.

Uważa się, że podczas przeżuwania, połykania i trawienia selera naciowego tracimy więcej kalorii niż czerpiemy z jego jedzenia. Jest on więc bardzo popularny wśród osób odchudzających się. Ma wysoką zawartość wody, więc działa diuretycznie i likwiduje puchnięcie dłoni, kostek oraz stóp. Sprzyja także usuwaniu toksyn z organizmu, oczyszczając wątrobę i pozytywnie wpływając na wygląd skóry.

100 g selera zawiera jedynie 7 kcal, więc jest doskonały dla osób pilnujących swojej wagi ciała.

RAGOÛT Z SELERA NACIOWEGO

20 g masła
1 seler naciowy, pokrojony w plasterki
400 g marchewki, obranej, pokrojonej w plasterki
1 czerwona cebula, pokrojona w plasterki

W rondlu rozpuść masło. Wrzuć warzywa i obtocz w maśle. Dopraw do smaku. Przykryj i smaż na najmniejszym ogniu przez 30–40 min, często potrząsając rondlem, by warzywa nie przywarły do dna. Podawaj z grillowaną rybą.

papryka

Kiedy mocno dojrzeją, strąki papryki są znakomitym źródłem witaminy C i innych przeciwutleniaczy o odmładzającym działaniu.

SKŁADNIKI ODŻYWCZE
Witamina C, beta-karoten, likopen; błonnik

Papryka jest jednym z głównych źródeł witaminy C, która pomaga walczyć z niemal każdym efektem procesu starzenia, w tym z pogarszaniem się stanu skóry i naczyń krwionośnych. Uważa się, że niszczy rakotwórcze wolne rodniki, chroni przed problemami z pamięcią i chorobami oczu. Jest również ważnym wzmacniaczem odporności. Czerwona papryka jest źródłem likopenu – innego składnika odżywczego o antynowotworowych właściwościach.

PIECZONA PAPRYKA Z DIPEM Z BAZYLII

1 duża czerwona papryka
100 ml mleka
$^1/_2$ łyżeczki mielonej papryki
$^1/_2$ łyżeczki soli
2 łyżki stołowe oliwy z oliwek ekstra virgin
2 łyżki stołowe jabłkowego octu winnego
1 łyżka bazylii, posiekanej

Rozgrzej piekarnik do 200°C. Paprykę w całości połóż na blasze i piecz przez 20–30 min lub do momentu, aż skóra się spiecze. Wyjmij z piekarnika i odstaw do ostygnięcia. Obierz ze skóry i usuń nasiona. Zachowaj wszystkie soki. Wlej je do pojemnika blendera i zmiksuj z papryką i pozostałymi składnikami, otrzymując gładką, kremową masę. Podawaj schłodzoną jako dip lub na ciepło jako sos.

pasternak

Pasternak zawiera liczne składniki odżywcze znane z efektów odmładzających i upiększających.

SKŁADNIKI ODŻYWCZE
Witaminy z grupy B, witamina E, kwas foliowy; potas, dwutlenek krzemu; błonnik

CURRY Z PASTERNAKIEM

- ¹/₂ białej cebuli, posiekanej
- 1 łyżka stołowa oliwy z oliwek ekstra virgin
- ¹/₂ łyżeczki nasion kminu rzymskiego, rozkruszonych
- 1 łyżeczka mielonego chilli
- 125 ml wody
- 450 g pasternaku, obranego, pokrojonego w kostkę
- 60 g mielonej papryki, pokrojonej w paski
- 80 g orzechów ziemnych, posiekanych

Podsmaż cebulę z przyprawami przez 5–8 minut. Wlej wodę i dodaj pasternak, doprowadź płyn do wrzenia, przykryj i na małym ogniu duś przez 20–30 min, aż pasternak będzie miękki, ale nie będzie się rozpadał. Przed podaniem udekoruj go paskami papryki i orzechami ziemnymi.

Pasternak jest wartościowym źródłem potasu, witamin z grupy B, witaminy E oraz śladowych minerałów, jak dwutlenek krzemu i błonnik. Potas obniża ciśnienie krwi, podczas gdy kwas foliowy działa antynowotworowo. Witamina E została okrzyknięta „źródłem młodości", dzięki korzystnemu oddziaływaniu na serce i ochronie przed szkodliwym promieniowaniem słonecznym. Dwutlenek krzemu w pasternaku wzmacnia skórę i tkankę łączną.

> Pasternak przechowywany w lodówce zachowuje więcej wartości odżywczych niż przetrzymywany w temperaturze pokojowej.

030

cebula

Kuzynka czosnku, ma silne właściwości
przeciwutleniające i likwiduje cellulit.

Cebula reguluje ciśnienie krwi i chroni komórki krwi przed
zatorami. Jest bogatym źródłem kwercetyny o działaniu antynowotworowym, działa również przeciwzapalnie. Cebula jest
doskonałym źródłem selenu, który wzmacnia odporność,
oczyszcza wątrobę, zmniejsza zmarszczki i chroni przed szkodliwym działaniem promieniowania słonecznego. Zawiera również dużo siarki, niezbędnej do budowy tkanki skóry, paznokci
i włosów.

SKŁADNIKI ODŻYWCZE
Witaminy z grupy B; selen, siarka;
kwercetyna

FRANCUSKA ZUPA CEBULOWA

4 łyżki stołowe oliwy z oliwek
  ekstra virgin
750 g cebuli, pokrojonej
  w cienkie plasterki
2 ząbki czosnku, rozgniecione
2 łyżki stołowe soku
  jabłkowego
1,2 l bulionu wołowego
300 ml wytrawnego
  czerwonego wina
sól i pieprz, do smaku

W rondlu z grubym dnem
rozgrzej oliwę. Wrzuć cebulę,
czosnek, wlej sok jabłkowy
i gotuj przez 5–6 min,
co pewien czas mieszając.
Zmniejsz ogień i gotuj przez
ok. 20 minut. Wlej bulion
i wino, a także dopraw solą
i pieprzem. Zagotuj, zmniejsz
ogień i gotuj przez 1 godzinę.
Nalej do misek i podawaj.

cykoria

SKŁADNIKI ODŻYWCZE
Witamina C, beta-karoten; wapń, magnez; błonnik

**CYKORIA Z SOSEM
Z SERA ROQUEFORT**

4 cykorie
100 g sera roquefort
200 ml chudej śmietany
gałązka świeżego tymianku

Oddziel liście cykorii i ułóż je na półmisku, wypukłą stroną do spodu. Ser roquefort włóż do rondla, wlej śmietanę i gotuj na małym ogniu, mieszając, aż uzyskasz gładką konsystencję. Tak przygotowanym sosem polej cykorię i posyp tymiankiem przed podaniem.

Cykoria bardzo dobrze smakuje w sałatkach, jest doskonałym źródłem wody, która sprawia, że skóra jest nawilżona i wygląda młodo.

Bogata w błonnik, cykoria wspomaga efektywne funkcjonowanie systemu trawiennego i proces usuwania toksyn z organizmu, m.in. metali ciężkich. Cykoria w prawie 94% składa się z wody, dzięki czemu nawilża ciało i wspomaga krążenie, z którego korzysta skóra, a także narządy wewnętrzne, w tym serce. Cykoria ma właściwości diuretyczne i małą zawartość kalorii, więc sprzyja obniżaniu wagi ciała. Zalecana przy cukrzycy.

jarmuż

Warzywo o jednym z największych potencjałów energetycznych, szczególnie bogate w antyoksydanty o działaniu odmładzającym.

Jarmuż jest bogaty w różne składniki. Zawartość witamin B_6 i B_{12} wzmacnia funkcjonowanie mózgu oraz chroni przed utratą pamięci. Bogaty w beta-karoten, jest także jednym z najbogatszych źródeł luteiny – karotenoidu, który wzmacnia wzrok. Jest także ważnym źródłem wapnia, potrzebnego kościom oraz dwutlenku krzemu ważnego dla skóry, włosów, zębów i paznokci. Dwutlenek krzemu przeciwdziała także negatywnym efektom występowania w organizmie aluminium.

SKŁADNIKI ODŻYWCZE
Witaminy z grupy B, witamina C, beta-karoten, kwas foliowy; luteina, wapń, żelazo, dwutlenek krzemu

JARMUŻ Z CZOSNKIEM I PIEPRZEM

450 ml wody
450 g jarmużu, posiekanego
2 łyżki stołowe oliwy z oliwek ekstra virgin
$^1/_2$ małej cebuli
2 ząbki czosnku, rozgniecione
$^1/_2$ łyżeczki soli morskiej
$^1/_2$ łyżeczki świeżo zmielonego czarnego pieprzu
$^1/_2$ łyżeczki rozkruszonych ziarenek czerwonego pieprzu

Wlej wodę do rondla i zagotuj. Wrzuć jarmuż i gotuj przez 2 minuty. Odcedź i odciśnij, by był lekko wilgotny. Do dużego garnka wlej oliwę i podsmażaj przez 4–5 min cebulę z czosnkiem. Wmieszaj jarmuż, wsypując sól, czarny i czerwony pieprz. Gotuj na średnim ogniu przez 3–4 minuty. Podawaj od razu.

brokuły

Brokuły są bogatym źródłem składników, które pozwalają zachować młodość – beta-karotenu i witaminy C.

Dzięki dużej zawartości karotenoidów, szczególnie beta-karotenu, brokuły mają silne właściwości przeciwnowotworowe i przyczyniają się do obniżenia ryzyka chorób serca i oczu. Z uwagi na to, że brokuły mogą podnieść poziom witaminy A w organizmie, poprawiają stan zdrowotny skóry. Są świetnym źródłem witaminy C, która pomaga wzmocnić odporność. Zawierają wapń, który zapobiega osteoporozie oraz błonnik, dzięki któremu system trawienny działa bez zakłóceń.

SKŁADNIKI ODŻYWCZE
Witaminy z grupy B, witamina C, beta-karoten; wapń, żelazo, cynk

BROKUŁY PO CHIŃSKU

600 g świeżych brokułów
100 g ponikła słodkiego z puszki, pokrojonego w plastry
2 łyżki stołowe oleju słonecznikowego
mały kawałek korzenia imbiru, obranego i startego
szczypta otartej skórki cytrynowej
1 łyżeczka sosu sojowego
125 ml wody
$\frac{1}{2}$ kostki rosołowej z kurczaka

Podziel brokuły na różyczki. Do rondla nałóż ponikło słodkie, olej, imbir oraz skórkę cytrynową. Podgrzewaj i dodaj brokuły, potrząsając rondlem przez 1 minutę. Dodaj pozostałe składniki. Doprowadź do wrzenia, przykryj i gotuj na małym ogniu przez 5 minut. Podawaj od razu.

034

szpinak

Bogaty w żelazo, wapń i magnez, jest niezbędny
do młodego wyglądu i dobrej kondycji.

Prawdopodobnie jest najbardziej znany z dużej zawartości żelaza, ale jest również odpowiedzialny na właściwe natlenienie
krwi, produkcję energii i ochronę przed anemią.

Powstrzymuje wypadanie włosów. Szpinak jest ważnym
źródłem wapnia i magnezu, które współdziałając chronią przed
osteoporozą. Magnez dodatkowo rozluźnia i rozszerza naczynia krwionośne oraz przyczynia się do elastyczności mięśni.
Witamina C zawarta w szpinaku pozwala zachować zdrową
skórę, podczas gdy kwas liponowy wspomaga pamięć.

SKŁADNIKI ODŻYWCZE
Witaminy z grupy B, witamina C,
karotenoidy; wapń, magnez, cynk;
kwas liponowy; błonnik

**SAŁATKA ZE SZPINAKU
I CHRUPIĄCEGO BOCZKU**

450 g boczku w plastrach
4 jajka, ugotowane na twardo
    bez skorupek
2 garście orzechów pekan,
    posiekanych
450 g świeżego szpinaku,
    umytego

Upiecz boczek na grillu i pokrój
w kawałki wielkości kęsów.
Jajka pokrój w plastry i włóż
do miski razem z boczkiem,
orzechami i szpinakiem.
Dokładnie wymieszaj. Skrop
dressingiem i podawaj.

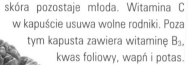

kapusta włoska

SKŁADNIKI ODŻYWCZE
Witaminy B₃, C, kwas foliowy;
wapń, potas, siarka

Kapusta zawiera wiele siarczanów i innych
składników, dzięki którym zachowujemy młodość.

Kapusta jest bogata w siarkę, która chroni wątrobę i ma właściwości antynowotworowe. Czasami jest nazywana mine-
rałem piękna. Zawiera keratynę – niezbędną do budowy zdrowych paznokci, błyszczących włosów, kolagenu i sprawia, że
skóra pozostaje młoda. Witamina C
w kapuście usuwa wolne rodniki. Poza
tym kapusta zawiera witaminę B₃,
kwas foliowy, wapń i potas.

**SMAŻONA KAPUSTA Z NASIO-
NAMI KOPRU WŁOSKIEGO**

1 kapusta włoska
2 łyżki stołowe octu
balsamicznego
1 łyżeczka nasion kopru
włoskiego
szczypta pieprzu kajeńskiego
sól i pieprz, do smaku

Umyj kapustę i pokrój w paski.
Wlej ocet balsamiczny do woka
i podgrzewaj, aż zacznie
skwierczeć. Wrzuć kapustę,
wsyp nasiona i dopraw pieprzem
kajeńskim, solą i czarnym
pieprzem. Gotuj, aż kapusta
zmięknie i lekko się zrumieni.

pomidor

Bogaty w karotenoidy, szczególnie likopen.
Ma unikatowe właściwości antynowotworowe.

SKŁADNIKI ODŻYWCZE
Witaminy B_3, C, E, beta-karoten,
likopen; żelazo, potas

Likopen neutralizuje wolne rodniki zanim dokonają zniszczeń w organizmie. Badania wykazują, że likopen może działać dwukrotnie silniej przeciw komórkom nowotworowym niż beta--karoten. Pomidory zawierają dużo witaminy C, która korzystnie wpływa na tkankę łączną i wzmacnia odporność. Poza tym, pomidory zawierają nieco żelaza, które po prawidłowym wchłonięciu we współpracy z witaminą C chroni przed anemią i zmęczeniem organizmu.

PIKANTNY KOKTAJL

4 pomidory kiściowe
3 małe ogórki
8 łodyg selera naciowego,
z listkami
ostry sos chilli, do smaku
sól selerowa, opcjonalnie
kostki lodu

Pomidory pokrój w kostkę, a ogórki w paski. Odkrój gałązki z listkami od łodyg selera i 4 z nich zachowaj do dekoracji. Wrzuć pomidory i ogórki do sokowirówki. Brzegi 4 wysokich szklanek pokryj solą selerową i wlej do nich sok. Do smaku dodaj sos chilli i wrzuć kilka kostek lodu. Dokładnie zamieszaj. Udekoruj gałązkami selera i od razu podawaj.

rzeżucha

SKŁADNIKI ODŻYWCZE
Witaminy B₃, B₆, C, karotenoidy; wapń, żelazo, magnez; błonnik

SAŁATKA Z RZEŻUCHY, CYKORII I POMARAŃCZY

4 cykorie
sok z 1 cytryny
200 g rzeżuchy, bez łodyg
4 pomarańcze, obrane
2 marchewki, starte
150 ml soku jabłkowego

Pokrój cykorie w plasterki i włóż do dużej salaterki. Polej świeżo wyciśniętym sokiem z cytryny, by nie sczerniały. Posiekaj rzeżuchę, a pomarańcze podziel na ćwiartki. Połącz wszystkie składniki w misce, dopraw solą i pieprzem i dokładnie wymieszaj. Podawaj od razu po przygotowaniu.

Rzeżucha jest rośliną o silnym działaniu ochronnym, która wzmacnia odporność i pozwala zachować młodość.

Rzeżucha jest bogata w witaminę C, przez co wspomaga regenerację komórek skóry, utrzymuje w zdrowiu wątrobę i układ odpornościowy. Rzeżucha zawiera również PEITC (phenethyl isothiocyanate) – związek chemiczny, który pomaga usuwać toksyny z wątroby i neutralizuje komórki nowotworowe. Rzeżucha jest dobrym źródłem jodu, niezbędnego do prawidłowej pracy tarczycy, oraz witaminy B₆, wspomagającej pamięć. Rzeżucha pomaga uwalniać żółć z pęcherzyka żółciowego, która jest ważna w procesie trawienia tłuszczów.

038

karczoch

Karczochy działają korzystnie na układ trawienny i wspomagają usuwanie toksyn z organizmu.

Karczochy zawierają cynarynę, która zwiększa przepływ żółci i poprawia pracę wątroby. Efektem tego jest lepsze trawienie i rozkładanie wszystkich rodzajów tłuszczu. Karczoch likwiduje zakłócenia w pracy wątroby i pęcherzyka żółciowego, a także eliminuje zespół jelita drażliwego i nudności. Jest też wartościowym diuretykiem, pomagającym obniżać zawartość wody w organizmie i ciśnienie krwi. Flawonoidy zawarte w karczochach mają właściwości antyoksydacyjne, a tym samym odmładzające, utrzymują w dobrej kondycji tętnice.

SKŁADNIKI ODŻYWCZE
Witaminy B_3, B_5, C, biotyna, kwas foliowy; cynaryna; żelazo, potas, cynk

---

CHLEB PITA Z GORĄCYM DIPEM Z KARCZOCHÓW

8 chlebów pita
225 g twarożku
350 g mozzarelli
200 g majonezu
150 g startego parmezanu
1 cebula, drobno posiekana
2 ząbki czosnku, rozgniecione
375 g marynowanych serc karczochów

Rozgrzej piekarnik do 180°C. Pokrój chleb pita w małe trójkąty i piecz je na blasze. Pozostałe składniki włóż do pojemnika robota kuchennego i zmiksuj. Masę przełóż do naczynia i piecz w piekarniku przez 30 minut. Podawaj na gorąco z kawałkami pity do zamaczania.

bataty (słodkie ziemniaki)

Dzięki zawartości witamin C i E, bataty są wspaniałym produktem odmładzającym.

Bataty, bardzo bogate w przeciwutleniacze, są jednym z niewielu warzyw, zawierających obie witaminy – C i E, które działając wspólnie chronią skórę przed zmarszczkami, wspomagają oczy i pamięć. Pomarańczowe bataty są bogate w beta-karoten, który dba o zdrową skórę, oczy i płuca, a także wzmacnia system odpornościowy, we współpracy z witaminą C. Mają także witaminę B$_6$, która pozwala zachować dobrą pamięć i chroni serce.

**BATATY
W ZIOŁACH**

**6 batatów średniej wielkości
garść świeżych gałązek oregano
i świeżego tymianku
oliwa z oliwek
świeżo zmielony czarny pieprz**

Rozgrzej piekarnik do 180°C.
Oskrob bataty i pokrój je wzdłuż
w duże kawałki w kształcie
trójkątów. Włóż je do naczynia
do pieczenia. Rozdrobnij zioła
i rozrzuć na batatach, skrop
oliwą i dopraw pieprzem.
Dokładnie wymieszaj. Piecz
przez ok. 30 min, aż bataty
będą miękkie.

rzodkiewka

Zawiera wiele składników, które spowalniają proces starzenia się organizmu.

Rzodkiewka jest bogata w siarkę, niezbędną zdrowej skórze, włosom i paznokciom. Ma również właściwości antynowotworowe. Wspomagając proces usuwania z organizmu toksyn, rzodkiewka pomaga likwidować problemy z woreczkiem żółciowym i wątrobą, które mogą przyczyniać się do przedwczesnego starzenia. Jest również ważnym źródłem potasu, który utrzymuje serce w dobrej kondycji i chroni przed osteoporozą, z kolei witamina C chroni przed osłabieniem wzroku, a selen wzmacnia odporność.

SKŁADNIKI ODŻYWCZE
Witamina C, kwas foliowy; wapń, potas, selen, siarka

SAŁATKA Z RZODKIEWKI

200 g rzodkiewek, oczyszczonych i startych
300 g kapusty, drobno poszatkowanej
1 duża marchewka, starta
1 mała czerwona cebula
2 łyżki stołowe świeżo wyciśniętego soku z cytryny
$^1/_2$ łyżeczki cukru
2 łyżki stołowe oliwy z oliwek ekstra virgin
garść świeżej kolendry
sól i pieprz, do smaku

Połącz wszystkie składniki w misce, dokładnie je mieszając. Przechowuj w lodówce i zjedz w ciągu 2 dni.

grzyby

Grzyby mają więcej białka niż większość warzyw, a także witaminę E i selen.

SKŁADNIKI ODŻYWCZE
Witaminy B$_{12}$, E; fosfor, potas, selen; białko

GLAZUROWANE GRZYBY SHIITAKE

450 g grzybów shiitake
1 łyżeczka oleju z pestek winogron
80 ml bulionu drobiowego
1 łyżeczka mąki kukurydzianej
2 łyżeczki sosu sojowego
1 łyżka stołowa wytrawnego sherry

Umyj grzyby, usuń trzony, a kapelusze pokrój w plasterki. W dużym rondlu rozgrzej olej i wrzuć grzyby, dolewając 2 łyżki stołowe bulionu. Gotuj, często mieszając, przez 5–6 minut. W małej misce rozpuść mąkę w pozostałym bulionie. Wmieszaj sos sojowy i sherry. Gotuj przez 2 min lub do momentu, aż grzyby pokryją się glazurą.

Grzyby bogate w odmładzającą witaminę E i selen sprzyjają zdrowiu skóry i włosów, a także chronią przed chorobami serca. Poza tym wzmacniają odporność i mają właściwości antynowotworowe. Grzyby zawierają potas, który odpowiada za zdrowie serca, a witamina B$_{12}$ chroni przed artretyzmem. Grzyby shiitake w sposób szczególny wzmacniają odporność, podczas gdy japońskie grzyby reishi walczą z wysokim ciśnieniem krwi i astmą, a grzyby maitake (żagwice) wspomagają leczenie nadciśnienia i chorób wątroby.

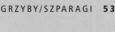

szparagi

Szparagi, uznane afrodyzjaki, zawierają witaminę E, wspomagającą skórę i serce.

Szparagi są doskonałym źródłem kwasu foliowego, który chroni przed uszkodzeniami tętnice i wykazuje właściwości antynowotworowe. Zawiera również asparaginę, która razem z potasem (występującym w dużej ilości) i selenem (którego szparagi nie zawierają dużo) działa jak doskonały środek moczopędny i oczyszczający organizm. To warzywo jest również bogate w witaminę E, która niweluje zmarszczki, chroni serce i sprawia, że mózg zachowuje młodość.

SKŁADNIKI ODŻYWCZE
Witaminy B$_3$, C, beta-karoten, kwas foliowy; potas, cynk; asparagina, flawonoidy; błonnik

PIECZONE SZPARAGI W SOSIE BALSAMICZNYM

500 g dużych szparagów
2 łyżki stołowe oliwy z oliwek ekstra virgin
sól morska i świeżo zmielony czarny pieprz
2 łyżki stołowe octu balsamicznego
drobno otarta skóra cytrynowa, do dekoracji

Nagrzej piekarnik do 200°C. Szparagi polej oliwą, posól i posyp pieprzem. Zapiekaj na folii na tacy przez 20–25 minut. W tym czasie obróć 2–3 razy. Pokrop octem balsamicznym, udekoruj plasterkami cytryny.

043

brukselka

Brukselka, bogata w substancje czynne, witaminy B i C oraz błonnik chroni przed wieloma chorobami związanymi z wiekiem.

Brukselka jest bogata w sulforafan, który uruchamia proces usuwania toksyn i zawiera enzymy antynowotworowe. Te warzywa są także bogate w błonnik, dzięki czemu likwidują problemy z trawieniem. Brukselka ma dużo wzmacniającej witaminy C, która sprawia, że nasz organizm pozostaje w młodzieńczej kondycji, a także wspomaga wzrok i pamięć. Jest również źródłem kwasu foliowego, który pomaga w leczeniu chorób serca.

SKŁADNIKI ODŻYWCZE
Witaminy z grupy B, witamina C, kwas foliowy; błonnik; substancje czynne

BRUKSELKA Z BOCZKIEM

450 g brukselki, oczyszczonej i umytej
120 g boczku, pokrojonego w kostkę
100 g uprażonych, słonych orzechów pistacjowych
60 ml octu balsamicznego

Brukselkę gotuj na parze przez 5–10 min, aż będzie prawie miękka. Usmaż boczek, aż będzie chrupiący. Zbierz boczek z patelni i wrzuć na nią brukselki. Podsmażaj przez 1–2 min, jednocześnie wlewając ocet, by się w nim glazurowały razem z pistacjami. Dodaj boczek, dopraw mocno solą i pieprzem, dokładnie wymieszaj i podawaj.

boćwina

Boćwina, bogata w żelazo i inne składniki odżywcze, jest ważnym elementem każdej diety odmładzającej.

Żelazo zawarte w boćwinie pomaga organizmowi produkować czerwone krwinki, odpowiadające za transport tlenu w organizmie. Boćwina zawiera również witaminę C, która poprawia wchłanianie żelaza, a także pomaga eliminować toksyny i chroni przed wypadaniem włosów. Wysoka zawartość witaminy B i minerałów, takich jak magnez, potas i wapń chroni serce, podczas gdy karotenoidy powstrzymują wolne rodniki przed niszczeniem komórek.

SKŁADNIKI ODŻYWCZE
Witaminy z grupy B, witamina C, karotenoidy; wapń, żelazo, magnez, potas, selen

KREM Z BOĆWINY

1 łyżka stołowa oliwy z oliwek
1 średnia cebula, pokrojona
  w plasterki
450 g boćwiny
1 łyżka stołowa mąki pszennej
250 ml zagęszczonego mleka
  o małej zawartości tłuszczu
2 łyżeczki startego parmezanu
szczypta gałki muszkatołowej

W rondlu z grubym dnem rozgrzej oliwę. Wrzuć cebulę i smaż na niewielkim ogniu przez 5–6 minut. Boćwinę pokrój we wstążeczki i wrzuć do rondla. Przykryj i gotuj przez następne 3–4 minuty. Posyp mąką i mieszając, wlej mleko. Gotuj, aż sos zgęstnieje. Wsyp parmezan i gałkę muszkatołową. Dokładnie zamieszaj i podawaj.

kapusta chińska

SKŁADNIKI ODŻYWCZE
Witaminy A i C; wapń

Świeża kapusta
chińska (*bok choy*)
ma twarde łodygi
i ciemnozielone
liście.

Popularna w chińskiej kuchni kapusta *bok choy* ma lekki, słodki smak i jest bogata w witaminy A i C oraz wapń.

Jest to jedna z odmian chińskiej kapusty, wśród warzyw wyróżnia ją duża zawartość witaminy A, która jest szczególnie ważna dla zdrowia oczu. Kapusta jest także bogata w antyoksydacyjną witaminę C, pomagającą zachować młodość całego organizmu – od systemu odpornościowego do stawów i od serca po skórę. Kapusta chińska zawiera mnóstwo wapnia niezbędnego do utrzymania w zdrowiu kości i zębów. Ma mało sodu i kalorii, jest więc polecana dla dbających o wagę ciała.

MŁODA KAPUSTA CHIŃSKA W SOSIE SECZUAŃSKIM

8 młodych główek kapusty *bok choy*, pokrojonych wzdłuż na ćwiartki

2 łyżki stołowe oleju z orzechów ziemnych

2 łyżeczki startego imbiru

1/2 łyżeczki czerwonej pasty chilli

1 łyżka stołowa sosu hoisin

W woku przez ok. 3 min smaż kapustę na oleju. Dodaj imbir i smaż przez następne 2 minuty. Dodaj pastę chilli i sos hoisin. Smaż kolejną minutę. Podawaj od razu po przygotowaniu.

marchew

Dzięki dużej zawartości beta-karotenu marchewka ma silne właściwości odmładzające.

Beta-karoten, zamieniany przez organizm w witaminę A, jest szczególnie ważny dla zdrowia oczu. Korzystają z niego również skóra oraz system odpornościowy i trawienny. Razem z alfa-karotenem działa antynowotworowo i zmniejsza ryzyko chorób serca. Marchewki są także pełne błonnika i wody, składników potrzebnych do oczyszczania wątroby i przyspieszania detoksyfikacji organizmu, a także ujędrnienia skóry i likwidacji zmarszczek. Witamina C i dwutlenek krzemu w marchwi sprzyjają młodzieńczemu wyglądowi skóry.

> Nać marchwi pobiera z korzenia składniki odżywcze, odetnij ją zatem przed przechowywaniem.

SKŁADNIKI ODŻYWCZE
Witaminy C i K, alfa-karoten, beta-karoten, kwas foliowy; wapń, żelazo, dwutlenek krzemu, cynk; błonnik

NAPÓJ UPIĘKSZAJĄCY
(dla skóry, włosów i paznokci)

4 ogórki
4 bulwy pasternaku
8–12 marchewek, oskrobanych, bez naci
2 cytryny, obrane
1 zielona papryka

Ogórki i pasternak pokrój wzdłuż i włóż do sokowirówki razem z marchewkami, cytrynami i papryką. Sok nalej do szklanek i podaj.

047

dynia

Dynia charakteryzuje się dużą zawartością karotenoidów i przeciwutleniaczy, które spowalniają proces starzenia się.

Jasnopomarańczowe dynie mają dużo karotenoidów, w tym beta-karotenu o właściwościach antynowotworowych, i chronią przed problemami serca i oczu. Beta--karoten chroni przed niszczącym działaniem (m.in. przyspieszającym proces starzenia) promieni słonecznych. Dynia zawiera mnóstwo witaminy C, która wzmacnia odporność i chroni skórę.

ZUPA Z DYNI, PASTERNAKU I MARCHWI

1 łyżka stołowa oliwy z oliwek
  ekstra virgin
15 g masła
1 cebula, posiekana
250 g dyni, bez skóry i nasion
250 g pasternaku
250 g marchwi
900 ml bulionu drobiowego
  lub warzywnego
1–2 łyżki stołowe soku z cytryny

Posiekaj warzywa. W rondlu rozgrzej oliwę i masło, po czym smaż cebulę, aż zmięknie. Dodaj dynię, pasternak, marchew i dokładnie zamieszaj. Przykryj i gotuj na niedużym ogniu przez 5 minut. Wlej bulion. Doprowadź do wrzenia, przykryj, zmniejsz ogień i gotuj przez 30 minut. Zostaw do ostygnięcia, po czym zmiksuj na gładką masę. Ponownie podgrzej, dodając do smaku sok z cytryny. Podawaj natychmiast po przygotowaniu.

orzechy brazylijskie

Orzechy brazylijskie są bogate w „dobre" tłuszcze
i selen, który sprawia, że pozostajemy młodzi
i zdrowi.

Orzechy brazylijskie składają się w 70% z tłuszczów. Połowę
z nich stanowi kwas oleinowy, jeden z podstawowych budul-
ców kwasów tłuszczowych omega-9, doskonale oddziałujących
na skórę i mających właściwości przeciwzapalne. Pozostałe to
podstawowe kwasy tłuszczowe omega-6 i omega-3, które
zapewniają zdrową skórę, błyszczące włosy i dobrą pamięć.
Wysoka zawartość witaminy E i selenu działa pobudzająco na
system odpornościowy, podczas gdy selen aktywizuje glutation,
działający niszcząco na wolne rodniki.

SKŁADNIKI ODŻYWCZE
Witamina E; wapń, magnez, selen;
kwas oleinowy, kwasy tłuszczowe
omega-3 i omega-6; błonnik; białko

PESTO Z ORZECHÓW

pęczek pietruszki, posiekanej
80 g orzechów brazylijskich,
  posiekanych
1^1/$_2$ łyżki stołowej wody
szczypta estragonu, posiekanego
1 ząbek czosnku, rozgnieciony
^{1}/$_2$ łyżeczki startej skórki
  z cytryny
3 łyżki stołowe oliwy z oliwek
  ekstra virgin
2 łyżki stołowe parmezanu,
  startego
sól i pieprz do smaku

Rozgrzej piekarnik do 200°C.
W robocie kuchennym zmiksuj
na dość grudkowatą pastę
pietruszkę, orzechy, wodę,
estragon, czosnek i skórkę
cytrynową. Dodaj oliwę, parmezan i miksuj, aż pasta nabierze
gładkiej struktury. Podawaj
natychmiast po przygotowaniu.

migdały

SKŁADNIKI ODŻYWCZE
Witaminy z grupy B, witamina E, podstawowe kwasy tłuszczowe; żelazo, magnez, potas, cynk, sterole roślinne; białko; błonnik

Aby wzmocnić smak migdałów, upraż je na patelni, aż będą złote.

Migdały zawierają całą gamę olejków i składników odżywczych, które zapewniają młodość skórze.

Migdały są dobrym źródłem białka, potrzebnego do wzrostu i naprawy komórek oraz mają więcej błonnika niż inne rodzaje orzechów, przez co wspomagają proces trawienia. Dzięki zawartości wapnia wzmacniają kości i zapobiegają osteoporozie. Zawierają także jednonienasycone tłuszcze i sterole roślinne, które redukują ryzyko chorób serca.

WITAMINA E DLA JĘDRNEJ I LŚNIĄCEJ SKÓRY

Migdały są doskonałym źródłem witaminy E, która odgrywa ważną rolę w zachowaniu zdrowej skóry, zarówno jej zewnętrz-

---

GORĄCE PLACKI Z MIGDAŁÓW I PŁATKÓW OWSIANYCH

60 g mąki pszennej
160 g płatków owsianych
2 łyżeczki proszku do pieczenia
30 g mielonych migdałów
1 jajko
250 ml mleka sojowego
olej do smażenia

W misce wymieszaj mąkę, płatki owsiane i migdały. W innej misce lekko utrzep jajko razem z mlekiem sojowym i dodaj suche składniki. Ciasto dokładnie wymieszaj. Na płytką patelnię wlej odrobinę

oleju i nałóż porcję ciasta. Kiedy się zrumieni, przewróć na drugą stronę i usmaż. W ten sam sposób upiecz pozostałe placuszki. Podawaj je z bananami, miodem i jogurtem.

nych, jak i wewnętrznych warstw – uelastycznia ją i naprawia uszkodzenia. Olej z migdałów działa szczególnie łagodząco na skórę i efektywnie goi blizny pooperacyjne. Witamina E wzmacnia odporność i chroni serce.

OBFITOŚĆ MINERAŁÓW

Migdały zawierają cynk, magnez i potas. Pierwszy z nich wzmacnia odporność, drugi podnosi poziom energii, a ostatni obniża ciśnienie krwi i pomaga walczyć z chorobami serca.

TRADYCYJNE MLECZKO Z MIGDAŁÓW *(do odżywiania skóry)*

50 g mielonych migdałów
2 łyżki stołowe miodu
500 ml niegazowanej wody
mineralnej

W misce połącz migdały, miód i wodę. Dokładnie wymieszaj, aż miód się rozpuści. Odstaw na 2 godziny. Przecedź i wlej do zakręcanej butelki. Wacikiem nałóż obficie na twarz i szyję, zostaw na 20 minut. Używaj rano i wieczorem. Przechowuj w lodówce do 3 dni.

orzechy włoskie

Orzechy włoskie są wspaniałą przekąską, bogatą w wiele składników odżywczych oraz zdrowe oleje.

SKŁADNIKI ODŻYWCZE
Witaminy z grupy B, witamina E; miedź, magnez, potas, cynk; kwasy tłuszczowe omega-3; białko

FARSZ Z ORZECHÓW, JABŁEK I SELERA NACIOWEGO

85 g masła
1 duża cebula, drobno posiekana
2 łodygi selera naciowego, drobno posiekane
2 jabłka do gotowania, posiekane
350 g bułki tartej
230 g posiekanych orzechów włoskich
$^1/_2$ łyżeczki suszonego tymianku
1 duże jajko, utrzepane
125 ml mleka

Nagrzej piekarnik do 180°C. W naczyniu roztop masło i przysmaż cebulę oraz seler naciowy. Jabłka wymieszaj z orzechami, tymiankiem i bułką tartą, połącz z przysmażonymi warzywami oraz jajkiem rozbełtanym z mlekiem. Przełóż do formy do zapiekania i piecz 30 minut.

Orzechy włoskie i olej z nich wytłaczany zawierają białko, witaminy B_6 oraz E, potas, magnez, miedź i cynk — wszystkie te składniki zapewniają nam młodość. Witamina B_6 zapobiega utracie pamięci i chroni serce, podczas gdy witamina E dobrze działa na skórę i włosy. Magnez wraz z potasem pozytywnie wpływają na serce, a miedź zapobiega żylakom. Cynk w niezwykły sposób odnawia sprawność grasicy i wzmacnia odporność. Orzechy włoskie to także dobre źródło kwasów tłuszczowych — korzystnie działających na skórę i serce.

orzechy nerkowca

Orzechy nerkowca to bogate źródło zdrowych tłuszczów oraz białka.

Orzechy nerkowca są doskonałym źródłem kwasów tłuszczowych omega-6, które chronią przed chorobami serca. Zawierają również magnez – wspomagający pracę serca i umożliwiający metabolizm wapnia, który chroni przed osteoporozą. Są bogate w witaminy z grupy B, potrzebne do sprawnego funkcjonowania układu nerwowego i tkanki mięśniowej, a także uodparniają na stres. Selen zawarty w orzechach likwiduje zmarszczki i zapewnia błyszczące włosy, a żelazo chroni przed anemią.

SKŁADNIKI ODŻYWCZE
Witaminy z grupy B, biotyna, kwas foliowy; żelazo, magnez, mangan, potas, selen, cynk; kwasy omega-6; jod; białko; błonnik

KREM Z ORZECHÓW

110 g orzechów nerkowca
100 ml mleka sojowego
1 łyżeczka płynnego miodu
100 ml oleju słonecznikowego
1 łyżeczka soku z cytryny

Orzechy oraz mleko sojowe zmiksuj blenderem na kremową masę. Dodaj miód i powoli wlewaj olej. Zauważysz, że masa zacznie gęstnieć, wtedy dodaj sok z cytryny i całość się zestali. Krem podawaj chłodzony i przetrzymuj do 5 dni w lodówce.

052

orzechy ziemne

SKŁADNIKI ODŻYWCZE
Witamina E, kwas foliowy; potas;
arginina; błonnik

Fistaszki są pełne zdrowych składników odżywczych i dostarczają najwięcej białka ze wszystkich rodzajów orzechów.

Orzechy ziemne są bogate w jednonienasycone tłuszcze, które redukują poziom cholesterolu, chronią przed zwężaniem się żył oraz chorobami serca. Serce jest dodatkowo wzmacniane przez argininę, która pomaga w rozbudowie naczyń krwionośnych oraz chroni przed zakrzepami. Duża zawartość witaminy E w orzechach pozwala zachować skórę bez zmarszczek, a także że błyszczące włosy. Dzięki niskiemu indeksowi glikemicznemu, orzechy zmniejszają ryzyko zachorowania na cukrzycę.

PIKANTNY SOS

**100 g prażonych orzechów
ziemnych, posiekanych
2 ząbki czosnku, zmiażdżone
1/2 łyżeczki mielonego imbiru
1 łyżeczka mielonego curry
1 łyżeczka mielonej kolendry
60 ml sosu sojowego
2 łyżki stołowe oleju
sezamowego
1 łyżka stołowa brązowego
cukru
szczypta mielonego chilli
3 piersi kurczaka, bez skóry,
pokrojone na duże kawałki
i nadziane na szpikulce**

Na patelni gotuj przez 2 min orzechy z czosnkiem i imbirem. Wtedy dodaj pozostałe składniki sosu i marynuj szaszłyki przez noc. Rozgrzej piekarnik do 165°C. Szaszłyki włóż do naczynia. Zalej marynatą i piecz przez 10 minut.

nasiona sezamu

Te malutkie, lecz odżywcze nasiona były symbolem nieśmiertelności w starożytnych Indiach.

Nasiona sezamu, wspomagające proces odmładzania i olej z nich wytłaczany są dobrym źródłem witaminy E, kwasów tłuszczowych omega-6 oraz jednonienasyconych tłuszczów, które pomagają zminimalizować ryzyko chorób serca oraz zachować zdrową skórę i włosy. Zawartość witamin z grupy B wspiera system nerwowy i pomaga organizmowi walczyć ze stresem. Nasiona i olej z sezamu są doskonałym źródłem wapnia i magnezu, niezbędnych dla zdrowia kości i serca. Są bogate w cynk wzmacniający odporność, a także selen, który likwiduje zmarszczki.

SKŁADNIKI ODŻYWCZE
Witaminy z grupy B, witamina E; wapń, żelazo, magnez, cynk; kwasy tłuszczowe omega-6 i omega-9

DIP TAHINI Z SEZAMU

350 g nasion sezamu
4 łyżki stołowe oleju
z orzechów ziemnych

Rozgrzej piekarnik do 180°C. Rozsyp na blasze nasiona i praż przez 20 minut. Miksuj je blenderem przez 3 min, po czym wlej 1 łyżkę stołową oleju i miksuj jeszcze przez 30 sek, zanim dodasz pozostały olej. Kontynuuj miksowanie do otrzymania gładkiej pasty. Podawaj z kawałkami pieczonych warzyw.

nasiona słonecznika

Chociaż małe, nasiona słonecznika są ważnym źródłem odmładzających składników o działaniu przeciwutleniającym.

Nasiona słonecznika i olej z nich wytłaczany są bogate w witaminę E, kwasy tłuszczowe omega-6 oraz jednonienasycone tłuszcze, które sprawiają, że skóra pozostaje elastyczna, a także zmniejszone zostaje ryzyko chorób serca. Kwasy omega-6 pomagają także zwalczać stany zapalne, więc przeciwdziałają artretyzmowi. Nasiona i olej są też bogate w wapń i magnez — składniki niezbędne do prawidłowej pracy mięśni, a także zachowania w zdrowiu układu kostnego. Magnez zawarty w słoneczniku pobudza energię. Nasiona i olej zawierają również cynk i selen, które wspomagają system odpornościowy.

SKŁADNIKI ODŻYWCZE
Witaminy z grupy B, witamina E; wapń, miedź, magnez, mangan, selen, cynk, kwasy tłuszczowe omega-6; białko

CHLEB OWSIANY Z NASIONAMI SŁONECZNIKA

500 g mąki żytniej
6 g suszonych drożdży
2 łyżki stołowe nasion słonecznika
1 łyżeczka soli
2 łyżki stołowe zakwasu
400 ml ciepłej wody
1 łyżka stołowa oleju z nasiona słonecznika

Rozgrzej piekarnik do 180°C. W misce dokładnie wymieszaj mąkę, drożdże, sól oraz zakwas. Dodaj wodę i olej. Zagniataj przez 10 min, a następnie podziel na dwa niewielkie bochenki. Przykryj i zostaw na 30 minut. Piecz przez 50–60 min aż zbrązowieje.

055

pestki dyni

Smaczne i pożywne – bogate w podstawowe kwasy tłuszczowe i mikroelementy.

Kwasy tłuszczowe, których bogactwo można odnaleźć w nasionach dyni są potrzebne do zachowania w zdrowiu i młodości skóry, a także dla błyszczących włosów. Kwasy tłuszczowe są również niezbędne dla prawidłowej pracy mózgu, silnego systemu odpornościowego i zapobieganiu stanom zapalnym w organizmie. Nasiona dyni są szczególnie bogate w cynk, zapewniający obronę przeciw infekcjom i zwiększający żywotność. Wraz z kwasami tłuszczowymi obniża on ryzyko chorób prostaty. Wapń i magnez zawarte w pestkach dyni działają pozytywnie na kości, układ nerwowy i mięśnie.

SKŁADNIKI ODŻYWCZE
Witaminy z grupy B; wapń, magnez, selen, cynk; kwasy omega-3 i omega-6; białko

CIASTECZKA Z PESTKAMI DYNI

60 g cukru
60 ml wody
100 g nasion dyni, uprażonych
1 łyżeczka oliwy z oliwek, ekstra virgin
szczypta soli

W misce wymieszaj nasiona dyni z oliwą i szczyptą soli. Tę mieszankę rozłóż równomiernie na blasze do pieczenia i wstaw na 1 godz na środkową półkę piekarnika rozgrzanego do 120°C. Co pewien czas nasiona zamieszaj. Na patelnię wlej wodę i wsyp cukier. Gotuj na niedużym ogniu, nieustannie mieszając, aż uzyskasz ciemny karmel. Wsyp do niego nasiona i dokładnie wymieszaj. Przełóż na posmarowany tłuszczem arkusz folii aluminiowej. Zostaw do całkowitego ostygnięcia i podziel na kawałki.

SKŁADNIKI ODŻYWCZE
Wapń, magnez, cynk; kwasy
tłuszczowe omega-3 i omega-6;
lignany

Aby siemię lniane
stało się lżej
strawne, namocz je
przed zjedzeniem
przez kilka godzin
w wodzie.

**MASECZKA Z SIEMIENIA
LNIANEGO** *(wygładzająca)*

**2 łyżeczki siemienia lnianego
woda, do zalania nasion
1 kropla oleju rycynowego**

W małej misce wymieszaj
nasiona lnu z wodą. Zostaw,
aby spęczniały, a woda nabrała
konsystencji żelu, wtedy dodaj
olej rycynowy. Palcami
rozprowadź żel na twarzy i szyi.
Pozwól, by wysechł i wtedy
spłucz zimną lub letnią wodą.
Osusz twarz.

siemię lniane

Nasiona lnu o słodkim, lekko orzechowym smaku
zawierają dużo tłuszczów niezbędnych dla
młodzieńczego wyglądu i umysłu.

Siemię lniane i olej lniany są pełne kwasów tłuszczowych ome-
ga-3 i omega-6, które są niezbędnymi składnikami dla młodo
wyglądającej skóry i włosów, a także sprawnej pracy mózgu,
zdrowego serca i wydajnego układu odpornościowego. Nasiona i olej zawierają także lignany o działaniu przeciwnowotworowym. Poza tym len dostarcza wapnia i magnezu dla zdrowych
kości.

owies

Owies jest produktem o różnorodnym działaniu – wspomaga serce i wzmacnia odporność.

Będąc dobrym źródłem energetycznych węglowodanów, owies zawiera dużo błonnika, dzięki czemu pomaga utrzymać odpowiedni poziom cukru we krwi, chroniąc przed cukrzycą, oraz obniża poziom cholesterolu. Poza tym zawiera silne, odmładzające antyoksydanty, w tym witaminę E, tokotrienol, kwasy felurowy i kawowy, które zwalczają wolne rodniki i chronią przed wieloma dolegliwościami – od chorób serca, po otyłość i choroby oczu. Owies nałożony na skórę działa łagodząco i przeciwzapalnie.

SKŁADNIKI ODŻYWCZE
Witaminy z grupy B, witamina E, kwas foliowy; żelazo, magnez, selen, dwutlenek krzemu, cynk; saponiny; tocotrienol, kwas ferulowy, kwas kafeinowy; białko; błonnik

---

MASECZKA OCZYSZCZAJĄCA Z ZIÓŁ I OWSA *(ściągająca skórę)*

3 łyżki stołowe suszonej pietruszki, melisy lub nasion kopru włoskiego
²/₃ filiżanki (ok. 150 ml) wrzącej wody
1 łyżka stołowa mielonych płatków owsianych
2 krople oleju z migdałów

Przygotuj napar z ziół, zalewając je wrzącą wodą i przykrywając na 15 minut. Zioła osącz i wyrzuć. Pozwól, by napar ostygł, po czym wlej go tyle do płatków owsianych, by otrzymać masę o konsystencji pasty. Dodaj olej migdałowy. Nałóż maseczkę ma twarz i szyję i zostaw na 20 minut. Spłucz zimną lub letnią wodą i osusz skórę.

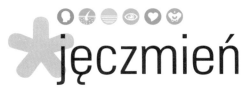

jęczmień

BALSAM Z JĘCZMIENIA
(dla poprawy krążenia krwi)

**100 g jęczmienia
1 l wody
duży pęczek świeżego lub
3 łyżki stołowe suszonego
rozmarynu**

Zalej jęczmień zimną wodą
i mocz przez 24 godziny.
Odcedź i przełóż do rondla
ze świeżą wodą. Doprowadź
do wrzenia i gotuj na nieduzym
ogniu przez 30 minut. Odcedź
płyn i wyrzuć jęczmień.
Do wywaru z jęczmienia dodaj
rozmaryn, przykryj i pozwól,
by przeszedł aromatem i ostygł.
Przelej do zakręcanej butelki.
Balsam nakładaj wacikiem dwa
razy dziennie. Przechowuj
w lodówce do 4 dni.

Jęczmień to zboże doskonałe dla serca.
Ma mnóstwo przeciwutleniaczy, które zwalczają
wolne rodniki i likwidują oznaki starzenia się.

Jęczmień jest najdłużej uprawianym zbożem. Już w starożytnym
Rzymie był wykorzystywany jako pożywienie wzmacniające. Dziś
się o nim zapomina, choć ma dobre właściwości odżywcze.

ZDROWE SERCE

Jęczmień jest jednym z najbogatszych źródeł tokotrienolu – przeciwutleniacza, który według badań jest bardziej skuteczny
w leczeniu chorób serca niż niektóre formy witaminy E. Działa
na dwa sposoby. Hamuje proces utleniania, wywoływany przez
wolne rodniki i sprawiający, że „zły cholesterol" chętniej przy-
czepia się do ścian naczyń krwionośnych. Ziarna jęczmienia
zawierają też lignany, które przeciwdziałają tworzeniu się zatorów w żyłach i w efekcie też zmniejszają ryzyko chorób serca.

WARTOŚCIOWE SKŁADNIKI ODŻYWCZE

Jęczmień zawiera ponadprzeciętnie dużo selenu i witaminy E,
które wspólnie działają antynowotworowo. Witamina E odgrywa również pierwszorzędną rolę w utrzymywaniu skóry oraz włosów w dobrej kondycji i nadaje im młody wygląd.

Selen z kolei przeciwdziała infekcjom wirusowym, chroniąc przez uszkodzeniami serce oraz mięśnie, a także zapobiega chorobom oczu.

Jęczmień zawiera również wapń, potas i witaminy z grupy B, które sprawiają, że kości pozostają mocne, ciśnienie utrzymuje się na właściwym poziomie, a układ nerwowy i mózg funkcjonują poprawnie. Co więcej, jęczmień ma dużo błonnika, który wspomaga proces trawienia.

Niepolerowane ziarna jęczmienia zawierają o wiele więcej błonnika niż kasze jęczmienne.

mąka razowa

Mąka razowa jest produktem, który często pojawia się w dietach na Zachodzie – ma wiele białka, a także witaminy z grupy B i minerały.

SKŁADNIKI ODŻYWCZE
Witaminy B6 i E; magnez, cynk; białko; błonnik

Mąka razowa jest odżywczym i zdrowym produktem zbożowym, a jednocześnie wartościowym źródłem białka. Odpowiada także za zdrowy wygląd skóry, włosów i paznokci. Dostarcza energii i zapobiega zmęczeniu organizmu. Mąka razowa jest bogata w witaminy z grupy B, w tym witaminę B_6, która wzmacnia układ nerwowy, chroni przed cukrzycą, a także wspomaga proces zbierania, zachowania i wykorzystywania informacji. Jest dobrym źródłem cynku, który wzmacnia odporność oraz dobrze wpływa na wzrok.

PROSTE CIASTO NA PIZZĘ Z MĄKI RAZOWEJ

550 g mąki razowej
2 łyżki stołowe suszonych drożdży
1 1/2 łyżeczki soli
500 ml ciepłej wody
2 łyżki stołowe oliwy z oliwek ekstra virgin
2 łyżeczki miodu
składniki na wierzch według uznania

Rozgrzej piekarnik do 200°C. W misce wymieszaj mąkę, drożdże i sól. Dodaj wodę, oliwę, miód i dokładnie wymieszaj. Przykryj wilgotną ściereczką i odstaw w ciepłe miejsce na 10 min, by wyrosło. Wyrób dokładnie i wyłóż nim dużą formę do pizzy. Nałóż składniki na wierzch i piecz 15–20 minut.

ryż brązowy

Jest doskonałym źródłem błonnika, a także wielu odmładzających składników odżywczych.

Utrzymuje w dobrej kondycji układ pokarmowy i pomaga obniżyć poziom cholesterolu we krwi. Ma bardzo dużo witamin z grupy B, które są niezbędne do prawidłowej pracy mózgu i układu nerwowego. Brązowy ryż jest także źródłem magnezu, który obniża ciśnienie tętnicze, pomaga organizmowi przekształcić jedzenie w energię oraz zapobiega skurczom mięśni. Zawiera żelazo, zwalcza zatem anemię i zapobiega utracie włosów. Wysoki poziom cynku pomaga wzmocnić odporność i zachowuje w dobrym stanie wzrok. Uważa się, że brązowy ryż wzmacnia popęd seksualny.

SKŁADNIKI ODŻYWCZE
Witaminy z grupy B, kwas foliowy; miedź, żelazo, magnez, mangan, cynk; białko; błonnik

---

PUDDING Z BRĄZOWEGO RYŻU

1 l wody
300 g brązowego ryżu krótkoziarnistego
600 ml mleka sojowego
4 łyżki stołowe syropu ryżowego lub z daktyli
1 łyżeczka mielonego cynamonu
$1/4$ gałki muszkatołowej, startej
4 całe goździki
2 małe garście rodzynek
4 paseczki skórki okrojonej z pomarańczy

Rozgrzej piekarnik do 180°C. Wlej wodę do rondla i zagotuj. Wsyp ryż i gotuj przez 15 minut. Odcedź ryż i wrzuć go do rondla. Dodaj pozostałe składniki i gotuj na niedużym ogniu przez 20 minut. Przełóż do lekko natłuszczonego naczynia i piecz przez 40 minut.

061

proso

SKŁADNIKI ODŻYWCZE
Magnez, potas, tlenek krzemu;
białko

Proso jest niezwykle lekkostrawne i bardzo bogate
w tlenek krzemu, który sprawia, że skóra pozostaje
młoda.

PILAW Z KASZY JAGLANEJ

1 duża cebula, drobno
posiekana
4 łyżeczki oliwy z oliwek ekstra
virgin
2 łyżki stołowe mielonych
nasion kolendry
2 ząbki czosnku, rozgniecione
250 g kaszy jaglanej
600 g pomidorów
600 ml bulionu warzywnego
250 ml białego wina
2 łyżeczki migdałów w płatkach
4–5 kropel sosu sojowego

Rozgrzej piekarnik do 180°C.
Przez 4–5 min delikatnie
podsmażaj cebulę. Dodaj do
niej kolendrę i czosnek. Smaż
przez 5 minut. Wsyp kaszę
i gotuj 2 minuty. Dodaj
pomidory, bulion i wino.
Zagotuj, zmniejsz ogień i gotuj
bez przykrywania przez 20 min,
aż kasza będzie miękka. Dodaj
płatki migdałowe i sos sojowy.
Podaj.

Jest doskonałym źródłem tlenku krzemu, dlatego jest podsta-
wowym składnikiem kolagenu, tzw. kleju w organizmie, niezbędnego dla zdrowych włosów, skóry, zębów, oczu, paznokci,
ścięgien i kości. Tlenek krzemu zapobiega też chorobom układu
krwionośnego i odgrywa ważną rolę w procesie zapamiętywania. Proso jest lekkostrawne, a poza tym zwiększa ilość substancji zasadowych w organizmie, dzięki czemu pomaga obniżać zbyt wysoki poziom kwasowości w żołądku i jelitach. Działa
w ten sposób jako jedyne zboże. Proso jest bogate w białko,
zawiera wszystkie z ośmiu kwasów aminowych, które wspomagają proces naprawy
komórek po prze-
bytej chorobie.

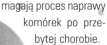

komosa ryżowa

Komosa ryżowa dostarcza bogactwa witamin z grupy B ważnych dla zdrowia i młodości.

Zawarte w niej białko pomaga w tworzeniu tkanek i ich regeneracji. Witaminy z grupy B, w tym B_5, która jest niezbędna dla prawidłowych reakcji organizmu na stres, decydują o jej wartości. Duża zawartość żelaza sprawia, że jest to produkt wysokoenergetyczny, więc chroni organizm przed zmęczeniem, a także utratą włosów i anemią. Komosa ryżowa zaopatruje nas w magnez, który dba o ciśnienie krwi, a także w witaminę B_2, która przez zwalczanie wolnych rodników kontroluje odkładanie się cholesterolu. Komosa ryżowa zawiera również witaminę E, która korzystnie wpływa na skórę.

SKŁADNIKI ODŻYWCZE
Witaminy z grupy B, witamina E; wapń, żelazo, magnez, cynk; saponiny; białko; błonnik

TABBOULEH Z KOMOSĄ

200 g komosy ryżowej
400 ml wywaru warzywnego
2 łyżki stołowe orzechów piniowych, uprażonych
8 pomidorów koktajlowych, drobno posiekanych
2 cebule, drobno posiekane
po łyżce stołowej drobno posiekanych ziół: pietruszki, mięty i kolendry
4 łyżki stołowe świeżo wyciśniętego soku z cytryny
2 łyżki stołowe oliwy z oliwek ekstra virgin

Namocz komosę i odcedź, wsyp do rondla, praż przez 3 minuty. Dodaj wywar warzywny i zagotuj. Zmniejsz ogień, przykryj rondel i gotuj przez 12 minut. Odcedź i przełóż do miski. Dodaj orzechy piniowe, pomidory, cebulę i zioła. Wymieszaj sok z cytryny i oliwę, polej nimi sałatkę. Wymieszaj i podaj.

kasza gryczana

Płatki gryczane zawierają dużo rutyny – substancji, która wzmacnia cienkie naczynia krwionośne.

SKŁADNIKI ODŻYWCZE
Witaminy z grupy B, magnez, rutyna; białko; błonnik

Dzięki zawartości rutyny kasza gryczana odpowiada za układ cyrkulacji organizmu – wzmacnia naczynia krwionośne, chroniąc przed powstawaniem wątłych i słabych naczyń krwionośnych. Zawiera też błonnik i osiem podstawowych aminokwasów, jest dobrym źródłem białka, składników niezbędnych do prawidłowej pracy mózgu. Bogata w magnez, zawiera witaminy z grupy B, które pomagają utrzymać układ nerwowy w dobrym zdrowiu. Co więcej, obniża poziom cholesterolu we krwi.

MÜSLI Z PŁATKAMI

200 g płatków gryczanych
100 g płatków owsianych
50 g nasion słonecznika
50 g suszonych moreli
50 g rodzynek

Posiekaj morele na niewielkie kawałki. W dużej misce wymieszaj dokładnie wszystkie składniki. Müsli dobrze przechowywać w szczelnie zamkniętym pojemniku. Podawaj z mlekiem zwykłym lub sojowym.

antynowotworowych, a także pozytywnie wpływają na kości
i zmniejszają ryzyko chorób układu krążenia.

Soja zawiera również witaminę E, która sprawia, że skóra
i włosy zachowują dobry wygląd. Witaminy grupy B odpowiadają za funkcjonowanie układu nerwowego i spowalniają proces
przedwczesnego starzenia się. Soja ma niski indeks glikemicz-
ny, więc jest polecana diabetykom, a także zmniejsza częstotli-
wość występowania symptomów
menopauzy.

Kupuj soję
niemodyfikowaną
genetycznie.

ciecierzyca

Ciecierzyca ma unikatowy, orzechowy smak i jest bogata w odmładzające składniki odżywcze.

Ciecierzyca jest dobrym źródłem białka, które jest ważne dla utrzymania w zdrowiu komórek, gdyż odpowiada za ich naprawę. Wysoka zawartość witaminy E w ciecierzycy wzmacnia układ odpornościowy, chroni serce i sprzyja zdrowiu skóry oraz włosów. Ciecierzyca zawiera również cynk, który podnosi odporność i usprawnia pracę grasicy. Co więcej, ciecierzyca jest pożytecznym źródłem izoflawonów, które imitują działanie estrogenu i mają właściwości antynowotworowe.

CIECIERZYCA ZAPIEKANA

3 cebule, pokrojone w krążki
1 świeża papryczka chilli, drobno posiekana
150 ml oliwy z oliwek ekstra virgin
4 ząbki czosnku
2 łyżki stołowe suszonego oregano
550 g ciecierzycy z puszki

Rozgrzej piekarnik do 150°C. Na oliwie podsmaż cebulę i chilli. Dodaj czosnek, oregano i ciecierzycę. Dokładnie zamieszaj i przełóż do żaroodpornego naczynia. Zalej wodą, by przykryła ciecierzycę. Zakryj pokrywką i piecz przez 1–1¹/₂ godz, aż ciecierzyca będzie miękka. Jeśli trzeba, dolej wody.

fasola zwyczajna

Fasola zwyczajna zawiera dużo białka, błonnika oraz składników odżywczych, które dają zdrowie i sprawiają, że czujemy się dobrze.

Fasola zwyczajna, popularna w Ameryce Południowej, jest świetnym źródłem białka, które pozwala dostarczać odpowiednią ilość energii i zachowuje w dobrej kondycji komórki. Fasola jest także bogata w kwas foliowy, który przyspiesza gojenie się ran i chroni przed chorobami serca. Jest dostarczycielką błonnika – korzystnie działającego na proces trawienia i utrzymania na niskim poziomie cholesterolu. Jest również cennym źródłem żelaza, które ochrania przed anemią.

SKŁADNIKI ODŻYWCZE
Kwas foliowy; żelazo, mangan, potas; białko; błonnik

GUMBO Z FASOLĄ ZWYCZAJNĄ

1 czerwona cebula, posiekana
1 czerwona papryka, bez nasion, pokrojona w kostkę
1 łodyga selera naciowego, posiekana
2 ząbki czosnku, rozgniecione
1 łyżka stołowa oliwy z oliwek
1,5 l bulionu warzywnego
425 g posiekanych pomidorów
1 łyżeczka suszonego tymianku
szczypta pieprzu kajeńskiego
270 g fasoli zwyczajnej z puszki

W rondlu podsmażaj na oliwie przez 5 min cebulę, paprykę, seler naciowy i czosnek.
Wlej bulion, dodaj pomidory, tymianek i pieprz kajeński.
Przykryj i gotuj na niedużym ogniu, aż będą miękkie.
Dodaj fasolę i duś przez 10 minut. Podaj.

sardynki

SKŁADNIKI ODŻYWCZE
Witaminy z grupy B; wapń, żelazo, fosfor, potas, selen; kwasy tłuszczowe omega-3; białko

Świeże sardynki i te z puszki zawierają całą gamę odmładzających kwasów tłuszczowych i antyoksydantów.

Jednymi ze składników odżywczych, które w najlepszy sposób wpływają na odmłodzenie naszej skóry są kwasy tłuszczowe omega-3. Ich doskonałym źródłem są sardynki.

CHROŃ SKÓRĘ

Korzyści, które płyną ze spożywania kwasów tłuszczowych omega-3, nie dotyczą tylko skóry. Niektóre badania pokazują, że kwasy te sprawiają, iż rzadziej tworzą się żylaki i zmniejszają

GRILLOWANE SARDYNKI Z SALSA VERDE

2 duże cebule, posiekane
2 ząbki czosnku, obrane
2 duże, zielone papryki bez nasion, posiekane
125 ml oliwy z oliwek ekstra virgin
50 g sardeli z puszki
2 małe strąki zielonego chilli, bez nasion
skórka i sok z 2 cytryn

2 łyżki stołowe kaparów
8 łyżek stołowych posiekanej bazylii
4 płaskie łyżki stołowe posiekanej pietruszki
12 świeżych sardynek, umytych

W rondlu na połowie oliwy delikatnie podsmażaj cebulę, czosnek i paprykę. Przełóż je do

pojemnika robota kuchennego razem z sardelami, chilli, skórką i sokiem z cytryny, kaparami oraz ziołami i miksuj do otrzymania grudkowatego purée. Sardynki ułóż na folii aluminiowej i grilluj na mocnym ogniu przez 5–7 min z każdej strony. Przełóż je na talerz, skrop przygotowaną wcześniej salsą i podawaj.

ryzyko chorób serca. Poza tym utrzymują w dobrym zdrowiu oczy. Co więcej, badania wykazują, że kwasy mogą też chronić skórę przed szkodliwym działaniem promieniowania ultrafioletowego.

BOGACTWO ANTYOKSYDANTÓW

Sardynki dostarczają selenu – silnego przeciwutleniacza, który chroni przed zmarszczkami i chorobami serca. Poza tym selen działa antynowotworowo i neutralizuje toksyczne metale w organizmie.

Sardynki z puszki są dobrym źródłem wapnia, który wzmacnia kości.

łosoś

Łosoś złowiony w naturalnych warunkach ma
mnóstwo kwasów tłuszczowych omega-3,
które są znane z odmładzających właściwości.

Łosoś jest jednym z najlepszych źródeł kwasów tłuszczowych
omega-3 oraz kwasu dokozaheksaenowego (DHA), jakie stwo-
rzyła natura. Każdy z nich zmniejsza ryzyko chorób układu krążenia. Sprawiają one także, że skóra i włosy zachowują młodość.
Podstawowe kwasy tłuszczowe mają silne właściwości przeciwzapalne, co czyni je skutecznymi podczas leczenia artretyzmu.
DHA jest szczególnie ważny dla mózgu i układu nerwowego,
usprawniając proces zapamiętywania.

STEKI Z ŁOSOSIA
Z RZEŻUCHĄ

3 steki z łososia
4 łyżeczki oliwy z oliwek ekstra
  virgin
sok z 1 cytryny
pęczek rzeżuchy, umytej
  i posiekanej
4 łyżki stołowe majonezu
1 łyżeczka sosu Tabasco
  (opcjonalnie)

Steki z łososia połóż na patelni
do grillowania. Każdy z nich
skrop łyżeczką oliwy i soku
z cytryny. Grilluj na średnim
ogniu przez 5 min z każdej
strony. Rzeżuchę, majonez
i pozostały sok z cytryny włóż
do pojemnika blendera i zmiksuj
na gładką pastę. Dopraw solą,
pieprzem i Tabasco (jeśli go
używasz). Grillowaną rybę
posmaruj pastą i serwuj.

070

krewetki

Krewetka jest doskonałym źródłem witamin z grupy B oraz minerałów o właściwościach odmładzających.

Krewetki są bogate w witaminę B_{12}, która wspomaga pracę mózgu oraz zapobiega zmęczeniu organizmu. Poza tym witamina B_3 zawarta w krewetkach ma decydujące znaczenie dla procesu zapamiętywania. Selen działa przeciwnowotworowo i jest potrzebny dla zdrowia sercu. Poza tym selen likwiduje zmarszczki. Krewetki zaopatrują organizm w jod, który jest konieczny do prawidłowego funkcjonowania tarczycy, a także że dostarczają wapń, potrzebny kościom. Oprócz tego są bogate w cynk, który wzmacnia odporność i płodność.

SKŁADNIKI ODŻYWCZE
Witaminy z grupy B; wapń, jod, magnez, fosfor, potas, selen, cynk, białko

PÂTÉ Z KREWETKAMI

**450 g krewetek, obranych
i ugotowanych
3 łyżki stołowe masła
3 łyżki stołowe twarożku
1 łyżka stołowa kwaśnej
śmietany
2 krople sosu Tabasco
$^1/_2$ łyżeczki mielonej gałki
muszkatołowej
1 ząbek czosnku, rozgnieciony
1 łyżka stołowa soku z cytryny
szczypta soli i pieprzu**

Wrzuć krewetki (oprócz jednej) do blendera razem z pozostałymi składnikami. Zmiksuj na gładką masę. Przełóż pâté na półmisek i udekoruj całą krewetką. Podawaj z gorącymi trójkątnymi tostami.

śledź

SKŁADNIKI ODŻYWCZE
Witaminy z grupy B, witaminy A,
D, E; kwasy tłuszczowe omega-3;
białko

ŚLEDŹ MARYNOWANY

³/₄ szklanki wody
³/₄ szklanki białego octu
  winnego
2 ząbki czosnku
¹/₄ łyżeczki nasion koperku
80 g granulowanego cukru
900 g filetów ze śledzia
1 czerwona cebula, pokrojona
  w krążki

W rondlu zagotuj wodę
z octem, przyprawami
i cukrem, mieszając aż się
rozpuści. Zostaw do
ostygnięcia. Pokrój filety
śledziowe w kawałki długości
2,5 cm. W 2 dużych słoikach
ułóż naprzemiennie kawałki
ryby i krążki cebulowe. Zalej
marynatą. Wstaw do lodówki
na co najmniej 3 dni przed
podaniem. Przechowuj nie
dłużej niż 3 tygodnie.

Dzięki temu, że ciało śledzia w 20 procentach składa się z podstawowych kwasów tłuszczowych, jest to produkt ważny dla zachowania młodości.

Jeśli kupujesz śledzie wędzone, unikaj tych barwionych, gdyż zawierają substancje chemiczne niekorzystnie działające na organizm.

Wysoka zawartość kwasów tłuszczowych omega-3 sprawia, że śledź ma wyjątkowe właściwości przeciwzapalne, przez co zapobiega powstawaniu takich chorób jak artretyzm, zmniejsza ryzyko chorób układu krążenia i chroni pamięć. Śledź ma dużo cynku, który wzmacnia system odpornościowy. Jest pokarmem bogatym w białko, a także zawiera dużo witamin – rozpuszczalne w tłuszczach witaminy A, D i E, a poza tym rozpuszczalne w wodzie witaminy z grupy B.

łupacz

Członek rodziny dorszowatych, zawiera dużo
składników, dzięki którym pozostajemy młodzi
i w dobrej kondycji.

Łupacz zawiera kilka witamin z grupy B, które poprawiają pracę mózgu i zwalczają zmęczenie. Ma wyjątkowo dużo kwasu
foliowego, który chroni przed chorobami serca, cukrzycą i osteoporozą, redukując poziom homocysteiny. Kwas foliowy działa
także antynowotworowo. Łupacz jest doskonałym źródłem jodu,
niezbędnego do produkcji hormonów tarczycy, które regulują
metabolizm organizmu. Ryba zawiera też cynk (poprawiający
odporność), siarkę (dla pięknej skóry) oraz wapń, który
wzmacnia kości i zapobiega chorobom, np. osteo-
oporozie.

SKŁADNIKI ODŻYWCZE
Witaminy z grupy B, kwas foliowy;
wapń, jod, siarka, cynk;
podstawowe kwasy tłuszczowe;
białko

ŁUPACZ W PIWIE

125 g mąki
szczypta soli i pieprzu
275 ml piwa
900 g świeżego łupacza

W misce wymieszaj mąkę, sól,
pieprz i piwo. Pokrój łupacza
na kawałki i zanurz w cieście.
Przełóż bezpośrednio do rondla
z rozgrzanym olejem. Smaż na
małym lub średnim ogniu przez
5 min z każdej strony,
aż do zezłocenia.

ostrygi

SKŁADNIKI ODŻYWCZE
Witaminy B₃, B₁₂, D, E; wapń, żelazo, magnez, selen, cynk

Ostrygi to uznany afrodyzjak, pełen zdrowych witamin i minerałów.

Ostrygi zawierają witaminy B_3 i B_{12}, które pomagają zaradzić problemom z pamięcią. Są cennym źródłem cynku, który wspomaga odporność, pozwala zachować młodą skórę i powstrzymuje wypadanie włosów. Ostrygi zawierają też witaminę E, która również wpływa pozytywnie na skórę i chroni przed chorobami serca, a także artretyzmem. Skorupiaki są doskonałym źródłem żelaza, które zwalcza anemię. Dostarczają też witaminy D dla zdrowych kości i zębów.

BISQUE Z OSTRYGAMI

ok. 1 kg ostryg, bez muszli
450 ml bulionu warzywnego
sól
biały pieprz
900 ml mleka
230 ml śmietany
1 łyżka stołowa mąki
    ziemniaczanej
odrobina masła

Gotuj przez 30 min ostrygi w bulionie. Odlej bulion i dopraw ostrygi solą, pieprzem, wlej mleko i dodaj śmietanę. Gotuj na niedużym ogniu przez 2 minuty. Mąkę ziemniaczaną wymieszaj z masłem i dodaj do ostryg. Mieszaj, aż sos zgęstnieje. Podawaj natychmiast po przygotowaniu.

jagnięcina

Jagnięcina (szczególnie chude mięso) jest doskonałym źródłem białka i łatwo przyswajalnego żelaza.

SKŁADNIKI ODŻYWCZE
Witaminy z grupy B; żelazo, selen, siarka; białko

Jagnięcina jest bogatym źródłem białka, które jest niezbędne przy regeneracji starzejących się komórek. Poza tym dostarcza witamin z grupy B, w tym witaminy B_{12}, która ma kluczowe znaczenie dla zdrowego serca. Mięso jest też bogate w łatwo absorbowalne żelazo, które ma fundamentalne znaczenie dla ochrony przed anemią. Selen zawarty w jagnięcinie chroni oczy i serce przed chorobami, a mięśnie przed uszkodzeniami. Jagnięcina to źródło siarki, niezbędnej, aby włosy i paznokcie pozostały mocne.

Wybieraj mięso jagnięce z naturalnych hodowli, ponieważ nie zawiera hormonu wzrostu.

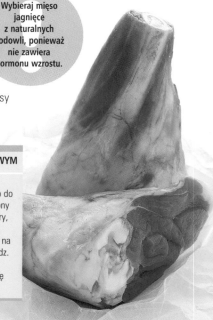

GOLONKA JAGNIĘCA W SOSIE POMIDOROWO-POMARAŃCZOWYM

4 golenie jagnięce
450 g rozgniecionych pomidorów
250 ml wody
1 łyżka stołowa rozgniecionego czosnku
skórka i sok z 1 pomarańczy
2 łyżki stołowe świeżej mięty, drobno posiekanej

Duży rondel lekko natłuść masłem. Wrzuć do niego mięso i przewracając, jeśli będzie trzeba, smaż przez 10 min lub do momentu, aż się z każdej strony lekko zrumieni. Dodaj pomidory, wodę, czosnek, skórkę i sok z pomarańczy. Przykryj i gotuj na niedużym ogniu przez 2–3 godz. lub do momentu, aż mięso będzie miękkie. Wmieszaj miętę i podawaj.

wołowina

Wołowina zawiera wiele składników odżywczych, a w szczególności żelazo, które zwiększa zawartość tlenu we krwi.

Wołowina to dobre źródło białka oraz witamin z grupy B, w tym B_{12}, która hamuje zmęczenie organizmu i zapobiega utracie pamięci. Jest bogata w żelazo, które chroni przez anemią i przedwczesną utratą włosów. Mięso z bydła hodowanego w naturalnych warunkach jest dobrym źródłem kwasu linolowego, który sprzyja utracie wagi. Wołowina to także źródło siarki, której nasz organizm potrzebuje do zachowania w dobrym stanie włosów i paznokci.

SKŁADNIKI ODŻYWCZE
Witamina B_{12}; żelazo, siarka, cynk; sprężony kwas linolowy; białko

SMAŻONA WOŁOWINA

4 łyżki stołowe sosu sojowego
2 łyżki stołowe ciemnego, prażonego oleju sezamowego
900 g steków wołowych, pokrojonych w paski
4 ząbki czosnku
2 łyżki stołowe mielonego, świeżego imbiru
$1/4$ łyżeczki chilli w płatkach
2 czerwone papryki, pokrojone w plastry

Połącz sos sojowy z połową oleju sezamowego i polej nimi mięso. Pozostały olej rozgrzej i podsmaż na nim przez 30 sek czosnek, imbir i chilli. Przez 2 min smaż paprykę. Zbierz wszystkie warzywa z patelni, wrzuć na nią wołowinę i smaż na dużym ogniu przez 3–4 minuty. Dodaj warzywa i podgrzej całość.

076

kurczak

Niezwykle popularne mięso o wielu zastosowaniach, zawiera mnóstwo zdrowych składników odżywczych.

Mięso drobiowe jest dobrym źródłem białka, które przyczynia się do wzrostu i naprawy komórek ciała. Gdy z mięsa drobiowego usuniemy skórę, jest bardzo chude. Zawiera dużo selenu, który powstrzymuje pojawianie się zmarszczek i sprawia, że włosy pozostają błyszczące. Kurczak zawiera też żelazo i cynk podnoszące poziom energii i odporności – jednak w piersi z kurczaka jest ich dwukrotnie mniej niż w ciemnym mięsie. Zawiera ona za to dużo witaminy B_6, która chroni serce.

SKŁADNIKI ODŻYWCZE
Witaminy B_3, B_6; żelazo, potas, selen, cynk; białko

PAŁECZKI Z KURCZAKA W SOSIE SŁODKO-KWAŚNYM

- 8 nóżek (pałeczek) kurczaka, bez skóry
- 4 łyżki stołowe płynnego miodu
- 2 łyżki stołowe oleju sezamowego
- 90 ml sosu sojowego
- 4 łyżki stołowe soku z cytryny
- 4 łyżeczki musztardy gruboziarnistej (francuskiej)

Rozgrzej piekarnik do 200°C. Pałeczki włóż do naczynia żaroodpornego i nakłuj je widelcem. Wymieszaj miód, olej sezamowy, sos sojowy, sok z cytryny i musztardę, a następnie polej marynatą mięso. Piecz przez 25–30 minut. Podawaj na ciepło lub na zimno.

jajka

SKŁADNIKI ODŻYWCZE
witaminy A, B, D, E, luteina; selen, cynk, lecytyna, cholina, zeaxanthin; białko

Jajka, zarówno białka, jak i żółtka zawierają całą gamę składników o działaniu odmładzającym.

Bogate w białko jajka zawierają osiem podstawowych aminokwasów, dzięki czemu są składnikiem do budowy wszystkich komórek ciała — korzystają z nich głównie skóra, włosy, kości i mięśnie.

BOGACTWO WITAMIN
Jajka są też wspaniałym źródłem cynku i witamin A, B, D i E. Cynk wspomaga odporność i jest potrzebny do produkcji kolagenu, niezbędnego skórze do zachowania zdrowia i młodości. Witamina A wspomaga wzrok, witamina D — mocne kości, a witamina E — serce. Jajka są też cennym źródłem selenu, który odmładza układ odpornościowy i chroni serce.

POŻYWIENIE DLA MÓZGU
Dzięki zawartości lecytyny, jajka są ważnym pożywieniem dla mózgu, przyczyniając się nie tylko do poprawy pamięci i koncentracji, ale także stanu emocjonalnego. Żółtko jest najbogatszym ze znanych źródeł choliny — budulca ścianek komórkowych i pomaga organizmowi przekształcać tłuszcze w acetylocholinę — molekułę w mózgu odpowiadającą za pamięć.

MASECZKA Z ŻÓŁTEK
(do nawilżania suchej skóry)

**1 łyżka stołowa miodu
1 duże żółtko
1 łyżeczka mąki ziemniaczanej**

W misce połącz miód, żółtko i mąkę ziemniaczaną. Mieszaj do uzyskania dość gładkiej pasty. Nałóż ją równomiernie na twarz i szyję. Zostaw na 20 minut. Maseczkę zmyj wacikiem zwilżonym wodą. Osusz skórę. Czynności te powtarzaj 2 lub 3 razy w tygodniu, przygotowując za każdym razem świeżą maseczkę.

KWESTIA CHOLESTEROLU

Wiele osób martwi się wysoką zawartością cholesterolu w jajkach, ale badania sugerują, że te przypuszczenia nie mają podstaw, gdyż cholesterol zawarty w jajkach nie krąży we krwi. W rzeczywistości 5 g tłuszczu, jakie znajduje się w jajku, to w większości jednonienasycone tłuszcze, które obniżają ryzyko chorób serca.

Białka, podobnie jak żółtka, można wykorzystać do przygotowania maseczek, gdyż mają doskonałe właściwości ściągające.

mleko

SKŁADNIKI ODŻYWCZE:
Witaminy B$_{12}$, E; wapń, potas

Mleko znane jest głównie z wysokiej zawartości wapnia, dzięki czemu wpływa na wzmocnienie kości i zapobiega chorobom serca.

Potężna zawartość wapnia w mleku sprawia, że wzmacnia kości i pomaga zapobiegać osteoporozie. Badania wykazują, że wapń może pomóc w obniżaniu ciśnienia krwi, jak również poziomu cholesterolu. Mleko jest dobrym źródłem witaminy B$_{12}$, która zwalcza problemy z pamięcią i słuchem oraz zmęczenie organizmu. Mleko to też źródło witaminy E, z której korzystają oczy, skóra i układ odpornościowy. Zawarty w mleku potas odgrywa kluczową rolę w zwalczaniu chorób serca. Uważa się, że odtłuszczone mleko ma właściwości antynowotworowe.

> Nawet jeśli nie lubisz pić samego mleka, dodawaj je do różnych potraw, by zwiększyć jego spożycie.

KĄPIEL Z MLEKA I MIĘTY *(nawilżenie skóry i jej ochrona przed starzeniem się)*

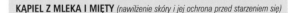

125 g skrobi kukurydzianej 250 g mleka w proszku 4 łyżeczki rozgniecionych liści mięty 100 g soli morskiej	Wszystkie składniki włóż do słoika i potrząsając, wymieszaj dokładnie. Do kąpieli dodaj ok. 125 ml płynu. Aby uzyskać najlepszy rezultat, pozostań w kąpieli przez 15 minut.

jogurt naturalny

Robi się go, dodając odpowiednie kultury bakterii do mleka. Jogurt zapobiega starzeniu się organizmu, zarówno na zewnątrz, jak i wewnątrz.

Żywe kultury bakterii lactobacillus i bifidobacteria, występujące w jogurcie, pomagają utrzymać kwasowość (pH) w jelitach na właściwym poziomie, wzmacniają odporność i obniżają poziom cholesterolu, redukując ryzyko chorób serca. Jogurt jest bogaty w białko i wapń niezbędne kościom, efektywnej pracy mięśni oraz układu nerwowego. Witamina B podnosi poziom energii i chroni układ nerwowy.

SKŁADNIKI ODŻYWCZE
Witaminy A, B, C; wapń, żelazo, fosfor, potas, sód; białko

KREM Z JOGURTU NATURALNEGO I CYTRYNY

2 łyżeczki jogurtu naturalnego
1 łyżka stołowa soku z cytryny

W małej misce wymieszaj składniki. Krem nałóż na twarz i szyję i zostaw na 10 minut. Spłucz ciepłą wodą i osusz skórę. (Oczyszczając skórę, jogurt jednocześnie ją schłodzi i odświeży, a także zapewni właściwy poziom pH. Oprócz tego zawarty w jogurcie kwas mlekowy rozjaśni skórę).

zielona herbata

Ma niezwykle dużo bioflawonoidów, przez co neutralizuje niszczące działanie wolnych rodników i zapobiega wczesnemu starzeniu się.

Herbata jest najpopularniejszym napojem na świecie, a jej zielona odmiana (liście są po ścięciu poddawane minimalnemu utlenianiu, podczas gdy liście czarnej herbaty zostawia się do uschnięcia) staje się coraz bardziej znana z właściwości odmładzających.

LECZY DOLEGLIWOŚCI

Zielona herbata zawiera związku fenolowe, które wzmacniają naczynia krwionośne, wspomagając leczenie żylaków oraz zimnych dłoni lub stóp. Zawiera również witaminę E, która pobudza odporność i zdrową skórę, a także chroni oczy i serce. Taniny także pozytywnie wpływają na oczy, działają przeciwzapalnie i likwidują opuchliznę.

NIEZWYKŁE ANTYOKSYDANTY

Zawarte w zielonej herbacie bioflawonoidy o działaniu przeciwutleniającym stanowią wspaniałą ochronę przed problemami

---

NAPÓJ Z ZIELONEJ HERBATY I BRZOSKWINI

**2 dojrzałe brzoskwinie, bez pestek i pokrojone w plastry
1,5 l zimnej wody
6 torebek zielonej herbaty
miód, do smaku
gałązki mięty**

Plastry brzoskwini wrzuć do rondla, zalej wodą i zagotuj. Torebki herbaty włóż do dzbanka i zalej je wodą z brzoskwiniami. Zaparzaj przez 6 min, a potem dodaj do smaku miód. Zostaw do ostygnięcia, a później wstaw do lodówki. Napój wlej do szklanek, nakładając też plastry brzoskwini, udekoruj miętą i serwuj.

z krążeniem i działają antynowotworowo. Pomagają też likwidować zmarszczki. Uważa się, że bioflawonoidy usprawniają metabolizm i sprzyjają utracie wagi.

ZDROWE SERCE

Zielona herbata obniża poziom „złego" cholesterolu LDL oraz trójglicerydów, jednocześnie podnosząc poziom „dobrego" cholesterolu HDL.

> Zaparzanie zielonej herbaty powinno trwać co najmniej 3 min, gdyż wtedy wydobędziemy najwięcej korzystnych składników.

czosnek

SKŁADNIKI ODŻYWCZE
Witaminy B₆, C; wapń, siarka; allicyna

Czosnek należy do rodziny cebulowatych i ma działanie przeciwwirusowe oraz stanowi ochronę dla serca.

Czosnek zawiera siarkę i allicynę, która jest uwalniana po rozgnieceniu czosnku. Pobudza ona proces eliminacji z organizmu cholesterolu, zmniejszając poziom trójglicerydów, usuwając toksyny z wątroby i działając jako silny środek przeciwzapalny. Siarka bierze udział w budowie nowych komórek, sprawiając, że skóra, paznokcie i włosy wyglądają młodo. Uważa się, że czosnek pomaga w usuwaniu cellulitu. Zawiera związek zwany alliiną, która działa antynowotworowo. Poza tym, czosnek bardzo wzmacnia odporność.

KĄPIEL CZOSNKOWA
(by uniknąć artretyzmu)

1 duża główka czosnku

Rozgnieć czosnek i dodaj go do kąpieli. Zrelaksuj się i „namaczaj" przez co najmniej 15 min, by wchłonąć wszystkie składniki antyzapalne.

pietruszka – natka

Pietruszka jest pełna składników wspomagających odmładzanie i jednocześnie działa jak naturalny lek.

Pietruszka jest najbogatszym źródłem potasu wśród ziół, który obniża wysokie ciśnienie krwi będące jedną z przyczyn ataków serca. Potas stymuluje też nerki do usuwania zbędnych substancji. Pietruszka działa przeciwzapalnie, chroniąc przed artretyzmem. Jest także doskonałym źródłem witaminy A, dobrej dla oczu, magnezu i wapnia, które chronią kości i układ nerwowy. To zioło jest bogate w mangan, który wspomaga pamięć, żelazo, zapobiegające zmęczeniu organizmu oraz w witaminę C, wzmacniającą odporność.

SKŁADNIKI ODŻYWCZE
Witaminy A, B, C; wapń, miedź, żelazo, magnez, potas

Potas jest niszczony podczas gotowania, więc jedz pietruszkę na surowo, by uzyskać z niej wszystkie zdrowe składniki.

MASECZKA Z PIETRUSZKI
(odświeżająca i nawilżająca)

1 łyżka stołowa posiekanej pietruszki
1 łyżka stołowa miodu
1 łyżka stołowa świeżego mleka

W miseczce połącz wszystkie składniki i wymieszaj na gładką pastę. Nałóż ją na twarz i zostaw na 20 minut. Spłucz ciepłą wodą i osusz skórę.

imbir

Imbir pobudza pracę układu trawiennego i ma właściwości przeciwzapalne.

SKŁADNIKI ODŻYWCZE
Witamina B$_6$; potas, magnez, miedź, mangan; gingerol

PIWO IMBIROWE

**2 l wody niegazowanej
250 g cukru
plastikowy lejek
$1/4$ łyżeczki suszonych drożdży
sok z 1 cytryny
$1^1/_2$–2 łyżki stołowe startego
korzenia imbiru**

Przelej wodę z butelki do innego pojemnika. Do pustej butelki wsyp cukier przez lejek, po czym dodaj drożdże. Sok z cytryny wymieszaj z imbirem i przez lejek przelej mieszankę do butelki. Wlej do niej wodę (do wysokości 2,5 cm poniżej krawędzi otworu). Dokładnie potrząśnij i zostaw w ciepłym miejscu na 24–48 godzin. Wstaw do lodówki na noc. Przelej przed sitko do szklanek (kieliszków) i podawaj.

Imbir chroni układ pokarmowy przed zbyt wczesnym starzeniem się, wspomagając wchłanianie składników odżywczych. Korzeń pomaga regulować poziom cukru we krwi przez stymulację trzustki i obniżając poziom cholesterolu. Dzięki temu, że imbir działa przeciwzapalnie, jest jedną z najbardziej cenionych przypraw, które pomagają w leczeniu chorób stawów, w tym artretyzmu. Imbir zawiera gingerol, który działa jak silny przeciwutleniacz. Poza tym imbir wspomaga krążenie krwi. Skutecznie przeciwdziała migrenom i torsjom.

kurkuma

Ta przyprawa o jasnożółtym kolorze dostarcza gamy odmładzających składników.

Kurkuma jest znana w leczeniu stanów zapalnych w organizmie. Zawiera kurkuminę, która jest silnym antyoksydantem i bardzo efektywnie zwalcza wolne rodniki, zachowując w dobrej kondycji skórę, oczy i włosy. Kurkumina ma działanie antybakteryjne, antynowotworowe oraz obniża poziom cholesterolu. Jest również antykoagulantem, przez co zmniejsza ryzyko ataku serca. Badania wskazują, że kurkumina może także zapobiegać pogarszaniu się pamięci.

SKŁADNIKI ODŻYWCZE
Witamina A, C; kurkumina; żelazo

Uwaga na leki, które zawierają kurkumę, może ona zwiększać wrażliwość organizmu na działanie promieni słonecznych.

BASS MORSKI NATARTY KURKUMĄ I LIMETKĄ

1 łyżeczka soli
sok z 1 limetki
1 łyżeczka mielonej kurkumy
4 filety z bassa morskiego
3 łyżki stołowe oleju roślinnego

W miseczce wymieszaj sól, sok z limetki i kurkumę. Otrzymaną marynatę wetrzyj w filety. Na nieprzylegającej patelni rozgrzej olej i smaż na niej filety przez 2–3 min z każdej strony. Podawaj z dhalem z warzyw.

fenkuł

Fenkuł – najbardziej popularny w kuchni francuskiej i włoskiej – zawiera mnóstwo składników hamujących proces starzenia się.

Jest bogaty w fitoskładniki, w tym rutynę, kwercetynę oraz anetol – podstawowe składniki olejku eterycznego. Fenkuł redukuje stany zapalne, takie jak artretyzm. Jest też doskonałym źródłem witaminy C, która jest niezbędna do prawidłowego funkcjonowania systemu odpornościowego, ochrony mózgu i zahamowania procesu starzenia się arterii. Fenkuł to też bogactwo błonnika, dzięki czemu może pomóc przy redukcji poziomu cholesterolu. Jest źródłem kwasu foliowego, który obniża ryzyko chorób serca.

NAPAR Z NASION KOPRU WŁOSKIEGO *(dla oczyszczenia skóry)*

2 łyżeczki nasion fenkuła, rozgniecione
2 gałązki świeżego tymianku, pogniecione lub ¹/₂ łyżeczki suszonego tymianku
125 ml wrzącej wody
sok z ¹/₂ cytryny

W miseczce połącz nasiona fenkuła z tymiankiem i zalej wrzącą wodą. Dodaj sok z cytryny i zaparzaj przez 15 minut. Odcedź i kiedy płyn się ostudzi, przelej go do słoika i zakręć. Przechowuj w lodówce. Nakładaj równomiernie na twarz każdego ranka bawełnianym wacikiem, a następnie spłucz ciepłą wodą.

mlecz

Mlecz (mniszek lekarski) wspomaga detoksyfikację, dzięki czemu sprawia, że w organizmie nie gromadzą się toksyny przyspieszające proces starzenia się.

Dzięki właściwościom detoksyfikacyjnym mlecz jest skuteczny podczas usuwania z organizmu nadmiaru wody, przez co sprzyja obniżaniu wagi ciała oraz pobudza pokłady energii. Jest też dobrym źródłem beta-karotenu i luteiny, które mają właściwości antynowotworowe. Mlecz zawiera tak podstawowe składniki, jak witaminy A, B, i C. Witamina A wspomaga wzrok, a witaminy z grupy B dbają o układ nerwowy oraz mózg. Witamina C jest ważna dla prawidłowego funkcjonowania układu odpornościowego, a także chroni serce. Mlecz zawiera dużo wapnia niezbędnego kościom oraz miedź, która zapobiega powstawaniu żylaków.

SKŁADNIKI ODŻYWCZE
Witaminy A, B, C, D; wapń, miedź, żelazo, potas

SAŁATKA Z MLECZU I MANDARYNEK

3 łyżki stołowe oliwy z oliwek ekstra virgin
3 łyżeczki octu jabłkowego, winnego lub soku z cytryny
150 g liści mleczu
150 g młodej cebuli w plasterkach
6 jajek ugotowanych na twardo, pokrojonych w plasterki
200 g mandarynek podzielonych na cząstki
kwiaty mniszka lekarskiego (opcjonalnie)

Połącz oliwę i ocet winny, by otrzymać dressing.
W salaterce połącz liście mleczu z cebulą. Wlej dressing i wymieszaj, potrząsając miską.
Liście z cebulą i dressingiem ułóż na 4 talerzach.
Na wierzchu ułóż plastry jajka i cząstki mandarynek.
Udekoruj kwiatami mleczu.

pieprz kajeński

SKŁADNIKI ODŻYWCZE
Witaminy A, B, C; wapń, mangan, potas, kapsaicyna; błonnik

Pieprz kajeński o ostrym smaku zawiera składniki odżywcze, opóźniające proces starzenia się.

Pieprz kajeński jest bogatym źródłem witamin A i C, a także witamin z grupy B. Przyczynia się więc do zachowania zdrowych oczu, sprawnego układu odpornościowego, zdrowej skóry i dobrej pamięci. Ma w sobie również dużo wapnia, dzięki czemu zapobiega osteoporozie, a także potas, dobry dla serca. Pieprz ten jest źródłem kapsaicyny, która według badań ma właściwości przeciwbólowe. Poza tym działa korzystnie na układ krwionośny i zapobiega powstawaniu wrzodów. Kapsaicyna sprawia też, że pieprz kajeński wykazuje właściwości przeciwzapalne.

ROZGRZEWAJĄCY WOSK
(do leczenia stanów zapalnych stawów)

225 g białego wosku pszczelego
2 świeże papryki kajeńskie lub
1 suszona papryka kajeńska
3 ml ekstraktu roślinnego St John's Wort

W rondlu rozgrzej pszczeli wosk i dodaj paprykę kajeńską. Gotuj na niewielkim ogniu przez 10 minut. Usuń paprykę, wmieszaj St John's Wort. Mieszankę wlej w puste foremki do kostek lodu i wstaw do zamrażalnika. Gdy potrzeba, rozpuść jedną kostkę, rozłóż chusteczkę i pędzelkiem do ciast nałóż na nią wosk. Chusteczkę obwiąż wokół bolącego miejsca i owiń chusteczkę folią śniadaniową. Zostaw na 20 minut. Okłady powtarzaj 3 razy w tygodniu.

rumianek

Rumianek jest najlepiej znany z działania odprężającego i rozkurczowego, dlatego też jest popularnym lekiem na bezsenność i problemy z trawieniem.

SKŁADNIKI ODŻYWCZE
Flawonoidy; taniny

Rumianek działa rozkurczowo na mięśnie całego ciała. Jego gorzki smak stymuluje przepływ żółci oraz wydzielanie soków trawiennych, przez co pobudza on apetyt i poprawia spowolniony proces trawienia. Rumianek działa kojąco i pomaga się zrelaksować, a także zasnąć. Używany zewnętrznie, leczy stany zapalne stawów i zastałe (sztywne) mięśnie. Ma również zastosowanie kosmetyczne: wykorzystywany w kremach do twarzy zapewnia młodą i promienną cerę. Znany jest także jako silna odżywka do włosów, sprawiając, że są miękkie i błyszczące.

ODŻYWKA DO WŁOSÓW Z RUMIANKU

garść kwiatów rumianku
80 ml oliwy z oliwek

Rumianek i oliwę wymieszaj, potrząsając w szczelnie zamykanym słoiku. Postaw go na nasłonecznionym parapecie i potrząsaj co najmniej 2 razy dziennie. Po 2 tygodniach odcedź płyn i wyrzuć rumianek. Rozczesz włosy i nałóż na nie przygotowaną odżywkę, unikając skóry głowy. Użyj od 2 do 4 łyżeczek odżywki, w zależności od długości włosów. Zostaw na ok. 10 min, a następnie zmyj szamponem.

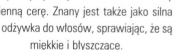

SKŁADNIKI ODŻYWCZE
Cholina; saponiny

żeń-szeń

Chińczycy sięgają po żeń-szeń od 5000 lat, uważając go za antidotum na oznaki starzenia się.

Żeń-szeń jest znany z pobudzania wydajności, nie tylko tej fizycznej, ale i psychicznej. Jest świetnym dostarczycielem energii, który zapobiega zmęczeniu organizmu, a także zwalcza choroby serca i impotencję. Zawiera cholinę – związek chemiczny ważny dla mózgu podczas procesu uczenia się i zapamiętywania. Ma także przeciwutleniacze, które usuwają skutki starzenia się, oraz związki o działaniu estrogenowym, dzięki czemu osłabia symptomy menopauzy.

> **MROŻONA HERBATA Z ŻEŃ-SZENIEM**
>
> 2 l wody
> 8 torebek rozkruszonych kardamonu
> 6 goździków w całości
> 2 laski cynamonu
> 1 owoc anyżu gwiazdkowatego
> 8 torebek z żeń-szeniem
> 60 ml miodu
> kostki lodu
>
> W dużym rondlu połącz wodę z kardamonem, goździkami, cynamonem i anyżem gwiazdkowatym. Zagotuj. Zestaw z ognia i dodaj torebki żeń-szenia. Pozwól, by się zaparzały przez 5 minut. Zbierz je i wmieszaj do naparu miód, aż się rozpuści. Przecedź herbatkę do słoika i pozwól, by ostygła, a potem wstaw ją do lodówki. Podawaj w wysokich szklankach z lodem.

papryka mielona

Papryka w postaci zmielonej przyprawy – jest doskonałym stymulantem krążenia w organizmie.

Papryka zawdzięcza swój jasny, pomarańczowoczerwony kolor pigmentom karotenoidów, które chronią organizm przed szkodliwym działaniem wolnych rodników. Zawiera też dużo kapsaicyny, uznanej za środek łagodzący ból, a także pozytywnie wpływający na układ krwionośny. Kapsaicyna ma też właściwości przeciwzapalne, dzięki czemu papryka pomaga w leczeniu artretyzmu. Poza tym zawiera spore ilości witaminy C, która jest niezbędna dla zdrowej skóry i układu odpornościowego.

SKŁADNIKI ODŻYWCZE
Witaminy z grupy B, witamina C, karotenoidy; kapsaicyna; antocyjaniny

PIECZONY DORSZ Z PAPRYKĄ MIELONĄ

2–3 cebule, pokrojone
  w plastry
1 łyżeczka papryki
60 g masła
1,3 kg filetów z dorsza,
  bez skóry
sok z 1 cytryny
sól i pieprz
szczypta suszonego rozmarynu
125 ml kwaśnej śmietany

Rozgrzej piekarnik do 190°C. Na połowie masła podsmaż cebulę z połową papryki. Wymieszaj sok z cytryny z wodą i skrop rybę. Pozostałym masłem natłuść naczynie do pieczenia i włóż do niego filety, doprawiając solą, pieprzem, rozmarynem i resztą papryki. Przykryj cebulą i zalej śmietaną. Piecz przez 30 minut.

091

00

miłorząb

Wyciąg z liści miłorzębu dwuklapowego ma niezwykłe własności poprawiania pamięci.

TONIK Z MIŁORZĘBU I ROZMARYNU

**garść suszonych liści miłorzębu
garść suszonego rozmarynu
wódka do zalania ziół**

Wrzuć liście miłorzębu (*Ginko biloba*) do słoika, zalej wódką i zakręć pokrywkę. To samo zrób z rozmarynem w oddzielnym słoiku. Co kilka dni potrząśnij energicznie słoikiem. Po 4 tygodniach odcedź płyny i wyrzuć zioła. Nalewki połącz w jednej butelce. Wlej $1/2$-1 łyżeczkę płynu do filiżanki z gorącą wodą, zamieszaj i zostaw na kilka minut (to sprawi, że większość alkoholu wyparuje). Tonik pij 2–3 razy dziennie, najlepiej na pusty żołądek.

Wraz z wiekiem nasz organizm produkuje coraz mniej przekaźników nerwowych i nasz mózg traci umiejętności zapamiętywania oraz staje się mniej czujny. Miłorząb podnosi produkcję dopaminy, która poprawia sprawność mózgu pod względem transmisji impulsów nerwowych. Badania wykazały również, że miłorząb poprawia krążenie krwi, tym samym usprawniając pracę mózgu i innych organów. Wyciąg ten jest również bogaty w flawonoidy, które działają przeciwnowotworowo i pomagają chronić ciało – od chorób serca po artretyzm.

perz

Perz, pełen korzystnych składników, jest eliksirem młodości.

Perz zawiera wszystkie rodzaje witamin, poza witaminą D. Jest bogaty w enzymy, minerały i białko. To sprawia, że pozytywnie oddziałuje na cały organizm – od układu nerwowego po układ krwionośny, nadaje skórze elastyczność. Uważa się, że zapobiega psuciu się zębów i powstrzymuje siwienie włosów. Ma dużą zawartość chlorofilu, przez co podnosi produkcję krwi. Pomaga zwalczać toksyny, które pozostawione w organizmie bez kontroli mogą przyspieszyć proces starzenia.

SKŁADNIKI ODŻYWCZE
Witaminy z grupy B, witaminy: C, E i K; wapń, magnez, mangan, fosfor, potas, selen, cynk; chlorofil

KOKTAJL Z ZIELONEGO OGRODU

1 tacka świeżego perzu
2 łodygi selera naciowego
pęczek pietruszki
sokowirówka

Aby ściąć perz, chwyć małą garść trawy i odetnij ostrym nożem tuż nad powierzchnią. Perz razem z innymi składnikami umyj zimną wodą i włóż do sokowirówki. Odetnij jeszcze 2–3 garście perzu i zmiksuj. Pij ok. 2–3 łyżek stołowych koktajlu dziennie na czczo.

woda

ORZEŹWIAJĄCA WODA Z CYTRYNĄ I MIĘTĄ

1 cytryna
garść liści mięty
500 ml wody

Pokrój cytrynę w plastry
i wrzuć je do dużego dzbanka.
Ostrożnie rozetrzyj w dłoniach
liście mięty, lekko je
rozgniatając. Też wrzuć je do
dzbanka. Zalej wodą, przykryj
i wstaw na noc do lodówki.
Rano odcedź napój przez sitko
i wyrzuć miętę. Z powrotem
wrzuć plastry cytryny do wody,
przelej do dużych szklanek
i sącz powoli.

Woda jest niezbędna dla zdrowia i przeżycia. Znana jest też z właściwości rewitalizujących.

Woda jest najważniejszym produktem dla naszego zdrowia. Nie jest to informacja zaskakująca, tym bardziej, że średnio człowiek w 70% składa się z wody. Większość z nas pije za mało wody i z tego powodu żyjemy w ciągłym stanie odwodnienia.

WAŻNA DLA CIAŁA

Jeśli organizm nie jest odpowiednio nawodniony, nie potrafi usuwać zbędnych substancji, co może skutkować na przykład pojawieniem się kamieni nerkowych.

Woda jest niezbędna dla krążenia krwi i reakcji chemicznych zachodzących w procesach metabolicznych. Transportuje ona za pośrednictwem krwi składniki odżywcze i tlen do komórek, dzięki czemu stymuluje pracę organów.

Poza tym nawilża i „smaruje" stawy, zapewniając ciału sprawność i giętkość. Woda daje energię, a potrzebna jest nawet do oddychania.

Może to zaskakujące, ale potrzebujemy bardzo dużo wody, by organizm nie zatrzymywał jej w nadmiarze i byśmy nie przybierali na wadze.

Woda jest też potrzebna włosom, by pozostały lśniące i zdrowe.

ZBAWIENIE DLA SKÓRY

Woda reguluje naturalne pH skóry – nawadnia ją, rewitalizuje, natlenia i oczyszcza z toksyn. Bez wody organizm nie jest w stanie usuwać uwięzionych w tkankach toksyn, które sprawiają, że pogarsza się stan cery.

TERAPIA WODNA
(dla uregulowania kwasowości skóry)

Prysznic!

Ureguluj temperaturę wody tak, by była odpowiednia dla ciała i myj się przez 1 minutę. Następnie zimnym strumieniem wody polewaj ciało przez następną minutę. Zmieniając wodę co minutę z ciepłej na zimną myj ciało przez kolejnych 5 min, nie dłużej. Wyjdź spod prysznica, owiń się w ciepły ręcznik i zrelaksuj się przez chwilę przed ubraniem się.

kiełki lucerny

Kiełki lucery są lekkostrawne i zawierają dużą ilość przeciwutleniaczy.

Nasiona lucerny, które wykiełkują, zawierają dużo witaminy A dobrej dla oczu, witamin z grupy B korzystnych dla układu nerwowego oraz pracy mózgu, witaminę C dla odpowiedniej odporności i zdrowych oczu oraz witaminę E dla skóry i serca. Dostarczają też dużo wapnia i fosforu – dla kości, żelaza – chroniącego przed anemią, magnezu i potasu – zmniejszających ryzyko chorób serca, cynku – zapobiegającego wypadaniu włosów oraz dwutlenku krzemu, który zapewnia lśniącą skórę, mocne paznokcie i błyszczące włosy.

SKŁADNIKI ODŻYWCZE
Witamina A, witaminy z grupy B, witamina C, E; wapń, magnez, fosfor, potas, dwutlenek krzemu, cynk; chlorofil

---

KANAPKI Z CHLEBA PITA

1 kalafior, ugotowany na parze
$1/4$ łyżeczki wytrawnej musztardy
sok z $1/2$ cytryny
$1/2$ łyżeczki mielonego curry
mała szczypta soli
$1/4$ łyżeczki mielonego kardamonu
70 g majonezu
4 chleby pita
120 g kiełków lucerny
3 marchewki, starte
2 pomidory, pokrojone w plastry

Rozgnieć kalafior w misce i wymieszaj z musztardą, sokiem z cytryny, curry, solą, kardamonem i majonezem. Wstaw do lodówki. Przekrój na pół chleby pita i rozsmaruj na każdej kromce pastę i ułóż na wierzchu kiełki, marchewkę oraz pomidory.

kiełki pszenicy

Kiełkująca część ziaren pszenicy jest doskonałym źródłem witaminy E zwalczającej wolne rodniki.

Dzięki wysokiej zawartości witaminy E, kiełki pszenicy szczególnie pomagają w utrzymaniu błyszczących włosów i lśniącej skóry. Wykazano też, że chronią przez chorobami serca. Zawierają kwasy tłuszczowe omega-6, dzięki czemu redukują bóle stawów. Cholina zawarta w kiełkach produkuje neuroprzekaźnik – acetylocholinę, która wzmacnia pamięć. Mózg korzysta też z witamin z grupy B. Kiełki pszenicy o lekko granulowanej teksturze nałożone na wrażliwą lub suchą skórę powodują delikatnie jej złuszczenie.

SKŁADNIKI ODŻYWCZE
Witaminy z grupy B, witamina E; żelazo, magnez, mangan, selen, cynk; kwasy tłuszczowe omega-6; cholina; błonnik

BALSAM ZŁUSZCZAJĄCY Z KIEŁKÓW PSZENICY

250 ml mleka
85 g suszonego mleczu
4 łyżki stołowe miodu
8 łyżeczek kiełków pszenicy

Mleko wlej do filiżanki i dodaj mlecz. Zostaw na kilka godzin, by mleko nasączyło się aromatem. Odcedź płyn i wyrzuć mlecz. Dodaj miód oraz kiełki i dokładnie wymieszaj. Balsam przelej do butelki i przechowuj w lodówce nie dłużej niż przez tydzień. Nakładaj na twarz i szyję, po czym spłucz ciepłą wodą. Używaj według potrzeb.

drożdże gorzelnicze

SKŁADNIKI ODŻYWCZE
Witaminy z grupy B; magnez, cynk;
lecytyna, kwas liponowy; białko

Drożdże są szczególnie potrzebne do podwyższenia
poziomu energii i usprawnienia pracy mózgu.

Składające się w prawie 50% białka, a także lecytyny i ogrom-
nych pokładów witamin z grupy B, drożdże są szczególnym lekar-
stwem na zmęczenie organizmu i procesy pamięciowe. Są też
bogate w kwas limonowy, który sprawia, że mózg zachowuje
młodość i sprawność. Drożdże to również bogate źródło cynku,
który wzmacnia odporność, a także magnezu, który korzystnie
wpływa na serce. Nakładając drożdże na skórę możemy być
pewni, że skutecznie zwalczą problemy suchej skóry. Wilgotność
drożdży wynosi do 70%, więc są one tworzywem do budowy
i regeneracji miękkiej, elastycznej i zdrowej skóry.

**MASECZKA NA TWARZ
Z DROŻDŻAMI**

**1 łyżeczka rozgniecionych
nasion kopru włoskiego
125 ml wody
łyżeczka drożdży gorzelniczych**

W niedużym rondlu podgrzewaj
przez 10 min nasiona kopru
włoskiego i odcedź je. Pozwól,
by płyn ostygł, a następnie
wmieszaj do niego drożdże.
Otrzymaną mieszankę
rozprowadź po twarzy i szyi.
Zostaw na 10 min, zmyj ciepłą
wodą i osusz skórę.

ocet jabłkowy

Wytwarzany ze sfermentowanego soku jabłkowego, jest dobrze znany z przeciwdziałania artretyzmowi.

Kwas jabłkowy zawarty w occie winnym pomaga rozpuszczać zapasy wapnia i tym samym zapobiega pojawieniu się artretyzmu. Poza tym wzmaga poziom pH w organizmie i natlenia krew, tym samym wspomagając proces trawienia i układ odpornościowy. Bogaty w enzymy ocet winny zawiera doskonały skład 19 minerałów, a także pektyny – rozpuszczalne w wodzie frakcje błonnika (rozpuszczalnego włókna pokarmowego) – które wiążą toksyny w organizmie i pomagają w ich usuwaniu, przez co poprawiają barwę skóry. Pektyny obniżają również poziom cholesterolu i zapobiegają chorobom serca.

SKŁADNIKI ODŻYWCZE
Żelazo, wapń, chlor, fluor, magnez, potas, fosfor, dwutlenek krzemu, sód, siarka; kwas jabłkowy; błonnik

Jabłkowy ocet winny jest uzupełniaczem błonnika i uważa się, że wspomaga utratę wagi.

PŁUKANKA DO WŁOSÓW
(dla ożywienia włosów)

1–2 łyżki stołowe jabłkowego octu
750 ml wody

Ocet i wodę wymieszaj w słoiku. Po umyciu włosów szamponem i odżywką, polej je przygotowaną mieszanką.

miód

SKŁADNIKI ODŻYWCZE
Witaminy z grupy B; wapń, miedź, żelazo, magnez, mangan, fosfor, potas, sód, cynk

Najlepiej znany jako produkt dostarczający energii, ale ma również wiele odmładzających właściwości.

Powszechnie używany jako naturalny słodzik, w 79% składa się z cukru. Na resztę składają się woda i nieduża ilość witamin, w tym witamina B_6, która korzystnie działa na mózg. W miodzie jest też dużo minerałów, w tym wapnia, który wzmacnia kości. Miód zawiera fitoskładniki, takie jak propolis, który pomaga wzmacniać odporność i kwas kawowy, który działa antynowotworowo. Miód nałożony na skórę pochłania i zatrzymuje wodę, dzięki czemu skóra pozostaje miękka i elastyczna.

MASECZKA NA TWARZ

1 łyżka stołowa miodu
1 białko
1 łyżeczka gliceryny
ok. 30 g mąki

W małej miseczce wymieszaj miód, białko i glicerynę. Następnie dodaj mąkę i mieszaj, do otrzymania pasty. Nałóż maseczkę na twarz i szyję. Zostaw na 10 min, po czym delikatnie spłucz ciepłą wodą.

olej kokosowy

Olej kokosowy jest unikatowym źródłem kwasów tłuszczowych o średniej długości łańcucha – wpływających doskonale na zdrowie i młody wygląd.

W oleju kokosowym występuje niezwykłe bogactwo kwasów tłuszczowych o średniej długości łańcuchów, które są rozpuszczalne i dostarczają mnóstwo energii, podobnie jak węglowodany. Kwasy te uczestniczą w procesie absorpcji wapnia, magnezu i niektórych aminokwasów, a także wspomagają prawidłowe funkcjonowanie tarczycy. Kwas laurynowy jest świetnym wzmacniaczem odporności. Poza tym stymulują metabolizm, korzystnie wpływają na serce i sprzyjają utracie wagi. Olej kokosowy bogaty w witaminę E, sprawia, że tkanka łączna pozostaje mocna i elastyczna, dzięki czemu nie pojawiają się zmarszczki.

SKŁADNIKI ODŻYWCZE
Witamina E; kwasy tłuszczowe o średniej długości łańcucha

KOKOSOWY OLEJEK DO CIAŁA

80 ml oleju kokosowego
15 kropli ulubionego olejku eterycznego

Zdejmij pokrywkę z pojemnika z olejem kokosowym. Wstaw tubę do dużego rondla z wodą. Powoli podgrzewaj, aż olej uzyska płynną konsystencję. Dodaj ulubiony olejek eteryczny i dokładnie wymieszaj. Nałóż pokrywkę z powrotem na pojemnik i wstaw do lodówki na 15 min. Nałóż dużą ilość oleju na całe ciało (oprócz twarzy). Pamiętaj, że olej może zaplamić ubranie, więc zanim się ubierzesz, poczekaj aż olej całkowicie wchłonie się w skórę.

oliwa z oliwek

SKŁADNIKI ODŻYWCZE
Witamina E; kwas oleinowy, polifenyle; jednonienasycone tłuszcze

---

OKŁAD Z GORĄCEJ OLIWY
(dla suchej skóry głowy i włosów)

125 ml oliwy z oliwek
125 ml wrzącej wody

Oliwę i wrzącą wodę wlej do dużej szklanki lub do słoika z pokrywką. Potrząsając nim, dokładnie wymieszaj składniki, aż otrzymasz konsystencję emulsji. Kiedy lekko ostygnie, wmasuj ją we włosy, uważając, by nie poparzyć skóry. Nałóż czepek lub torebkę foliową na włosy i zawiń w gorący ręcznik, uprzednio zamoczony w gorącej wodzie i wyciśnięty. Zostaw na 30 min, następnie zmyj emulsję szamponem.

Oliwa z oliwek to podstawowy produkt w krajach śródziemnomorskich. Zawiera tłuszcze i przeciwutleniacze niezbędne dla zdrowia i pięknego, młodego wyglądu.

> Zawsze wybieraj oliwę z pierwszego tłoczenia, gdyż zawiera ona optymalną ilość składników odżywczych.

Przygotowuje się ją przez tłoczenie oliwek, które zawierają witaminę E, pomagającą w utrzymaniu skóry bez zmarszczek, a także błyszczących włosów.

DOBRE TŁUSZCZE

Oliwa z oliwek jest bogata w tłuszcze, które uznaje się, że działają antynowotworowo, pomagają obniżyć ciśnienie krwi i chronią przed cukrzycą.

ZDROWE SERCE

Badania w zakresie efektywności oliwy w zapobieganiu powstawania zatorów w arteriach pokazują, że zawarte w niej tłuszcze przeciwdziałają utlenianiu się cholesterolu i dzięki temu powstrzymują go przed osadzaniem się na ścianach tętnic i żył, dzięki czemu zmniejszają ryzyko zawału serca. Inne badania sugerują, że oliwa zawiera dużą dawkę przeciwutleniaczy, w tym chlorofil, karotenoidy i polifenole, które nie tylko zwalczają wolne rodniki, ale również chronią zawartą w oliwie witaminę E. Duża zawartość polifenoli, które działają przeciwzapalnie i antykoagulacyjnie, sprawia, że uważa się, iż oliwa zapobiega osteoporozie i artretyzmowi.

PIĘKNA SKÓRA

Oliwa z oliwek zawiera dużo kwasu oleinowego — kwasu tłuszczowego omega-9, który działa przeciwzapalnie, a także kojąco na skórę.

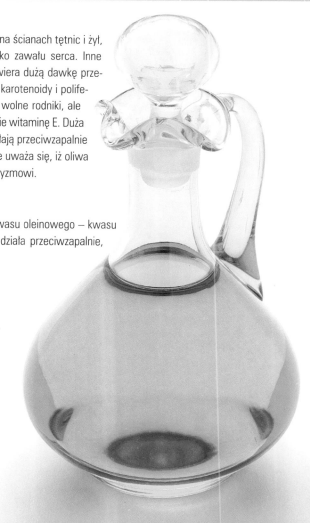

NAPÓJ Z OLIWY I CYTRYNY
(aby złagodzić zapalenie)

**2 łyżki stołowe oliwy z oliwek ekstra virgin
sok z ¹/₂ cytryny**

W filiżance dokładnie wymieszaj oliwę i sok z cytryny. Pij na czczo każdego ranka 30 min przed śniadaniem. Kurację powtarzaj przez co najmniej 3 tygodnie, aż zauważysz poprawę.

skorowidz dolegliwości

BEZSENNOŚĆ

Jakość snu decyduje o tym, jak wyglądamy i jak się czujemy – dobry sen pozwala lepiej funkcjonować zarówno w sferze mentalnej, jak i fizycznej. Decyduje o funkcjonowaniu wzroku, wpływa na stan zdrowia skóry i włosów. Aby cieszyć się dobrym snem, unikaj stymulantów, takich jak kawa i czekolada co najmniej 5 godz. przed udaniem się na spoczynek, gdyż zakłócają one poziom cukru we krwi. Podjadając, staraj się spożywać produkty zawierające naturalne cukry, by poziom cukru we krwi pozostawał na stabilnym poziomie.

Polecane produkty:
Winogrona (s. 10); Pomarańcze (s. 16); Śliwki suszone (s. 20); Figa (s. 30); *Szpinak (s. 45); Bataty (s. 50); Migdały (s. 60); Orzechy ziemne (s. 64); Nasiona dyni (s. 67); Mąka razowa (s. 72); Komosa ryżowa (s. 75); Soczewica (s. 77); Fasola zwyczajna (s. 81); Łupacz (s. 87); Ostrygi (s. 88); Kurczak (s. 91); Pietruszka (s. 99); Imbir (s. 100); Olej kokosowy (s. 117)*

CHOROBY OCZU

Jeśli chcesz, by twoje oczy pozostały zdrowe i pełne blasku, pamiętaj o jedzeniu marchwi lub tak naprawdę każdego owocu o jaskrawym kolorze. Badania sugerują, że przeciwutleniacze w nich zawarte – włączając witaminy A, C i E oraz luteina – wpływają korzystnie na oczy i pomagają im dostosowywać się do zmian oświetlenia. Dbają o plamkę żółtą (część oka, która umożliwia ostre widzenie i w prawidłowych barwach) oraz zapewniają właściwe nawilżenie gałki ocznej.

Polecane produkty: *Morele (s. 13); Jagody (s. 14); Granat (s. 31); Wiśnie (s. 32); Burak (s. 36); Papryka (s. 39); Jarmuż (s. 43); Dynia (s. 58); Boćwina (s. 55); Marchewka (s. 57); Nasiona sezamu (s. 65); Owies (s. 70); Jagnięcina (s. 89); Jajko (s. 92); Jogurt naturalny (s. 95)*

CHOROBY SERCA

Jeśli wraz z wykonywaniem ćwiczeń fizycznych, będziesz unikać produktów zawierających tłuszcze nasycone, które podnoszą

poziom cholesterolu i zmniejszają światło tętnice, twój układ krwionośny będzie zdrowy. Spożywaj oleje roślinne i produkty zawierające flawonoidy oraz dużo błonnika.

Polecane produkty:
Winogrona (s. 10); Papaja (s. 15); Żurawina (s. 17); Melon (s. 24); Grejpfrut (s. 27); Granat (s. 31); Awokado (s. 34); Papryka (s. 39); Cebula (s. 41); Brokuły (s. 44); Kapusta włoska (s. 46); Pieczarki (s. 52); Szparagi (s. 53); Boćwina (s. 55); Migdały (s. 60); Orzechy nerkowca (s. 63); Orzechy ziemny (s. 64); Nasiona lnu (s. 68); Owies (s. 69); Jęczmień (s. 70); Soja (s. 78); Sardynki (s. 82); Ostrygi (s. 88); Zielona herbata (s. 96); Czosnek (s. 98); Fenkuł (s. 102); Olej kokosowy (s. 117)

CHOROBY STAWÓW

Zachowaj elastyczność stawów, jedząc owoce i warzywa bogate w antyoksydanty, sięgając często po orzechy, nasiona i tłuste ryby. Niektóre przyprawy, np. pieprz kajeński, stosowane na skórę, mogą złagodzić bóle stawów.

Polecane produkty: *Jabłko (s. 25); Ananas (s. 26); Wiśnie (s. 32); Awokado (s. 34); Nasiona sezamu i olej sezamowy (s. 65); Nasiona słonecznika i olej słonecznikowy (s. 66); Nasiona lnu (s. 68); Soczewica (s. 77); Łosoś (s. 84); Śledź (s. 86); Ostrygi (s. 88); Pietruszka (s. 99); Imbir (s. 100); Kurkuma (s. 101); Koper włoski (s. 102); Pieprz kajeński (s. 104); Rumianek (s. 105); Papryka (s. 107); Miłorząb (s. 108); Kiełki*
pszenicy (s. 113); Ocet jabłkowy (s. 115); Oliwa z oliwek (s. 118)

NIESTRAWNOŚĆ

Problemy z trawieniem stają się nieuniknione wraz z upływem wieku. Aby układ trawienny pozostawał w dobrej kondycji, należy spożywać produkty bogate w błonnik, a także pić dużo wody. Jeśli cierpisz na niestrawność i zgagę – staraj się ograniczyć spożywanie pokarmów powodujących wydzielanie kwasów – serów i czerwonego mięsa, natomiast jedz produkty zawierające dużo enzymów trawiennych i błonnika.

Polecane produkty:
Winogrona (s. 10); Papaja (s. 15); Banan (s. 19); Czarna porzeczka (s. 22); Grejpfrut (s. 27); Rzeżucha (s. 48); Karczoch (s. 49); Brukselka (s. 54); Marchewka (s. 57);

Migdały (s. 60); Mąka razowa (s. 72); Ryż brązowy (s. 73); Proso (s. 74); Kasza gryczana (s. 76); Ciecierzyca (s. 80); Jogurt naturalny (s. 95); Czosnek (s. 98); Imbir (s. 100); Koper włoski (s. 102); Mlecz (s. 103); Pieprz kajeński (s. 104); Rumianek (s. 105); Ocet jabłkowy (s. 115)

OSTEOPOROZA

Utrata masy kostnej następuje wraz z wiekiem i jeśli nie przedsięweźmiemy właściwych środków, możemy zachorować na osteoporozę. Dieta bogata w wapń ma kluczowe znaczenie, by kości były mocne przez całe życie, a witamina D pełni ważną rolę w procesie wchłaniania wapnia przez organizm.
Polecane produkty: *Ogórek (s. 37); Brokuły (s. 44); Szpinak (s. 45); Nasiona dyni (s. 67); Nasiona lnu (s. 68); Śledź (s. 86); Łupacz (s. 87); Ostrygi (s. 88); Mleko (s. 94); Jogurt naturalny (s. 95); Pietruszka (s. 99); Imbir (s. 100); Pieprz kajeński (s. 104); Oliwa z oliwek (s. 118)*

UTRATA PAMIĘCI

Wraz z wiekiem nasze organizmy wytwarzają mniej substancji chemicznych, które są potrzebne do pracy komórkom mózgowym, w związku z czym z coraz większym trudem jesteśmy w stanie odtwarzać „przechowywane" informacje. Badania pokazują, że witamina E, magnez i inne składniki mogą zapobiegać tego rodzaju zanikowi pamięci. Badacze sprawdzają również możliwości wpływu produktów bogatych w przeciwutleniacze (szczególnie witaminy C i E) oraz dwutlenek krzemu na sprawne funkcjonowanie mózgu i jego aktywność wraz ze starzeniem się.
Polecane produkty: *Mango (s. 12); Figi (s. 30); Burak (s. 36); Papryka (s. 39); Jarmuż (s. 43); Szpinak (s. 45); Kapusta włoska (s. 46); Rzeżucha (s. 48); Orzechy włoskie (s. 62); Nasiona słonecznika (s. 66); Nasiona dyni (s. 67); Mąka razowa (s. 72); Proso (s. 74); Łosoś (s. 84); Krewetki (s. 85); Śledź (s. 86); Ostrygi (s. 88); Jajka (s. 92); Pietruszka (s. 99); Kurkuma (s. 101); Pieprz kajeński (s. 104); Żeń-szeń (s. 106); Miłorząb (s. 108); Kiełki pszenicy (s. 113); Oliwa z oliwek (s. 118)*

WŁOSY BEZ BLASKU

Torebki włosowe z wiekiem stają się nieaktywne – to natural-

ny proces zarówno w przypadku mężczyzn, jak i kobiet. Jednakże produkty bogate w witaminę A i żelazo odżywiają torebki włosowe i sprawiają, że włosy pozostają grube i błyszczące.

Polecane produkty: *Śliwki suszone (s. 20); Szpinak (s. 45); Rzeżucha (48); Boćwina (s. 55); Migdał (s. 60); Krewetki (s. 85); Wołowina (s. 90)*

ZMARSZCZKI

Zmarszczki mogą pojawiać się już po osiągnięciu przez nas wieku 20 lat. Zależy to od stylu życia i predyspozycji genetycznych. Takie czynniki jak palenie tytoniu, spędzanie czasu na słońcu lub w solarium mogą sprawiać, że skóra zacznie starzeć się przedwcześnie i uwydatnią się na niej linie, szczególnie wokół oczu. Aby zwalczyć zmarszczki, spożywaj produkty bogate w witaminy A, C, E oraz selen.

Polecane produkty: *Winogrona (s. 10); Awokado (s. 34); Cebula (s. 41); Rzodkiewka (s. 51); Migdały (s. 60); Nasiona sezamu (s. 65); Kurczak (s. 91); Zielona herbata (s. 96)*

ZMĘCZENIE ORGANIZMU

Jeśli nieustannie odczuwasz zmęczenie, możesz mieć anemię. Pojawia się ona, gdy zawartość hemoglobiny we krwi jest zbyt niska. Symptomami anemii są słaba i blada skóra, a także ogólne osłabienie. Produkty bogate w żelazo i witaminę B_{12} pomagają zwalczać anemię.

Polecane produkty: *Szpinak (s. 45); Migdały (s. 60); Orzechy nerkowca (s. 63); Komosa ryżowa (s. 75); Soczewica (s. 77); Fasola zwyczajna (s. 81); Sardynki (s. 82); Jagnięcina (s. 89); Wołowina (s. 90)*

ŻYLAKI

Żylaki powstają wskutek skręcania się powiększonych żył w pobliżu powierzchni skóry. Tworzą się najczęściej na nogach i na kostkach. W zdrowych żyłach zastawki pomagają płynąć krwi w stronę serca wbrew sile grawitacyjnej. Jeśli jednak nie działają prawidłowo, krew zaczyna się cofać, zwiększa się jej ciśnienie i ściany żył się osłabiają. Produkty bogate w witaminę C, a także te zawierające miedź i związki fenolowe zapobiegają powstawaniu żylaków.

Polecane produkty: *Cytryna (s. 18); Orzechy włoskie (s. 62); Zielona herbata (s. 96); Koper włoski (s. 102); Mlecz (s. 103)*

słownik pojęć

Alfa-hydroksykwas (AHA) — lotny kwas owocowy, który wspomaga utrzymanie nawilżenia skóry na właściwym poziomie i tworzenie się kolagenu, dzięki czemu zapobiega powstawaniu zmarszczek

Allicyna — fitoncyd (lotny olejek) zawarty w czosnku pomocny w leczeniu guzów

Alliina — związek zawarty w czosnku; uważa się, że działa antynowotworowo

Antocyjaniny — ciemnopurpurowe pigmenty, będące antyoksydantami i wspomagające przepływ krwi

Arginina — organiczny związek chemiczny zawarty w białku pochodzenia zwierzęcego i orzechach ziemnych

Bakterie Bifido — szczep bakterii posiadających zdolności wytropienia i zwalczenia infekcji

Betacyjanina — pigment karmazynowy zawarty w buraku

Dwumetyloaminometanol (DMAE) — związek chemiczny spokrewniony z choliną, prekursor dla neurotransmitera acetylocholiny, zawarty w rybach

Fitochemiczny — związek roślinny o zdrowotnym działaniu

Fitoestrogen — związek roślinny o działaniu podobnym do estrogenu, lecz słabszym

Flawonoid — określenie zbiorowe związków przeciwzapalnych i bioaktywnych

Hesperydyna — biały lub bezbarwny związek krystaliczny zawarty w owocach cytrusowych

Homocysteina — aminokwas normalnie używany w organizmie w metaboliźmie komórkowym i produkcji białka, ale uważany za czynnik ryzyka kilku chorób jeśli jego poziom we krwi jest podwyższony

Izocyjanian beta-fenyloetylowy — związek zawarty w warzywach,

który może działać antynowotworowo

Kapsaicyna — roślinny związek chemiczny zawarty w papryce chilli

Kurkumina — substancja usuwająca toksyny i wspomagająca pracę wątroby

Kwas dehydrooctowy (DHA) — kwas tłuszczowy omega-3 zawarty w oleju pochodzenia rybnego

Kwas elagowy — substancja o działaniu antynowotworowym zawarta w owocach jagodowych

Kwas ferulowy — przeciwutleniacz, który chroni komórki przed szkodliwym działaniem promieni ultrafioletowych

Kwas fitynowy — podstawowa forma przechowywania fosforu w wielu tkankach roślinnych, szczególnie w nasionach

Kwas gamma-linolenowy (GLA) — kwas tłuszczowy potrzebny zdrowej strukturze hormonalnej, pomagający zwalczać stany zapalne i redukować zatory żylne

Kwas jabłkowy – kwas organiczny zawarty w jabłkach

Kwas kawowy – kwas organiczny zawarty w owocach i warzywach

Kwas linolenowy – nienasycony kwas tłuszczowy niezbędny w diecie człowieka

Kwas liponowy – kwas organiczny produkowany przez komórki niektórych mikroorganizmów i niezbędny w procesach metabolicznych

Kwas oleinowy – oleisty płyn i budulec kwasów tłuszczowych omega-9

Kwasy tłuszczowe omega-3 i omega-6 – nienasycone kwasy tłuszczowe zawarte w tłustych rybach, orzechach i nasionach

Kwercetyna – flawonoid o antynowotworowych właściwościach

Likopen – karotenoid o działaniu antyoksydacyjnym zawarty w produktach o czerwonym kolorze

Limonen – związek chemiczny o działaniu antynowotworowym

zawarty w cytrynie i pomarańczy

Luteina – karotenoid o działaniu antyoksydacyjnym wpływający korzystnie na oczy

Mirycetyna – antyoksydant o działaniu przeciwzapalnym

Pałeczka mlekowa – bakteria nazwana tak, gdyż większość jej przedstawicieli przekształca laktozę i inne cukry proste w kwas mlekowy

Papaina – enzym zawarty w papai, pomagający w trawieniu białka

Peroksydaza glutationowa – enzym skutecznie zwalczający wolne rodniki

Polifenol – związek używany do procesu syntezy chemicznej

Przeciwutleniacz – związek, który powstrzymuje działanie wolnych rodników

Rutyna – flawonoid o działaniu kojącym i leczniczym dla naczyń włoskowatych

Salicylan – sól sodowa kwasu salicylowego; substancja aktywna

zawarta w aspirynie, zwalczająca dolegliwości skórne

Saponiny – grupa związków chemicznych o działaniu detoksykacyjnym i antyzapalnym, które odnaleźć można w ziołach, roślinach strączkowatych i warzywach w ich zewnętrznej warstwie, w której tworzą pokrycie ochronne

Sprzężony kwas linolowy (CLA) – naturalny kwas tłuszczowy

Sulforafan – związek antynowotworowy

Środek działający ściągająco – obciągający i wiążący, używany do kuracji skóry

Terpen – pomaga produkować enzymy deaktywujące działanie związków karcenogennych

Tocotrienol – wyciąg z witaminy E, przeciwutleniacz

Wolne rodniki -- molekuły niszczące tkanki organizmu, wytwarzane jako produkt uboczny metabolizmu lub czynniki środowiskowe

Zeaksantyna – karotenoid o działaniu przeciwutleniającym, ważny dla zdrowia oczu

indeks